沖縄もの知りクイズ

クイズ 394問

蔵満逸司

イラスト
米澤美智留

南方新社

はじめに

　例えば５月、うりずんが終わるころ、ゲットウの花が一斉に咲き始め、やがてリュウキュウアカショウビンが「キュル　ルルルル」と姿を見せないまま鳴き声を響かせる。沖縄島北部では、ヤンバルクイナが人道に姿を見せ始め、時速30km以下で慎重に運転するドライバーさえひやひやさせる。

　亜熱帯沖縄には季節それぞれに個性的な表情がある。

　車を運転していると次々に現れる米軍基地やリゾートホテル、スーパーのレジに貼られたドルとの変換レート、旧盆が近づくとあちこちから聞こえてくるエイサーの音。

　自然も、人が関わることがらも、沖縄ならではの魅力と課題があり、一歩足を踏み入れてみると一筋縄ではいかない。

　歩いて、語って、食べて、読んで……旅した沖縄を、クイズ形式でまとめました。

　読者の皆様が、沖縄をもっと好きになるきっかけになれば幸いです。

蔵満逸司

目　次

装丁／オーガニックデザイン

第1部　地図問題編

問　題　次の場所を地図から探して、当てはまる場所の
アルファベットを書きましょう。

①美ら海水族館　（　　）　　②辺野古　　　　　（　　）

③那覇市　　　　（　　）　　④普天間飛行場　（　　）

⑤川平湾　　　　（　　）　　⑥与那覇岳　　　　（　　）

⑦慶良間諸島　（　　）　　⑧瀬底島　　　　　（　　）

⑨平和祈念公園　（　　）　　⑩竹富島　　　　　（　　）

⑪伊平屋島　　　（　　）　　⑫伊良部大橋　　（　　）

⑬久高島　　　　（　　）　　⑭久米島　　　　　（　　）

⑮南大東島　　　（　　）　　⑯古宇利島　　　（　　）

⑰辺戸岬　　　　（　　）　　⑱多良間島　　　（　　）

⑲波照間島　　　（　　）　　⑳残波岬　　　　　（　　）

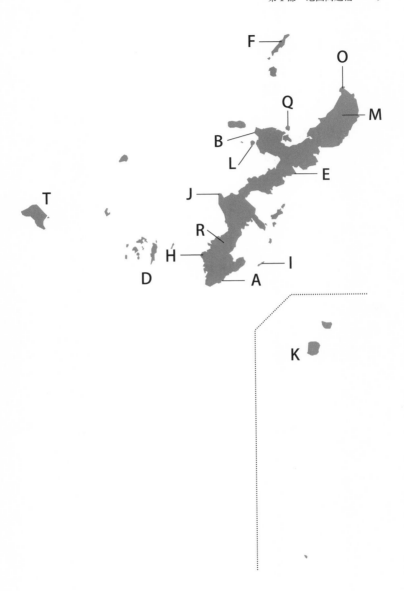

解 答

①	B	美ら海水族館
②	E	辺野古
③	H	那覇市
④	R	普天間飛行場
⑤	S	川平湾
⑥	M	与那覇岳
⑦	D	慶良間諸島
⑧	L	瀬底島
⑨	A	平和祈念公園
⑩	P	竹富島
⑪	F	伊平屋島
⑫	N	伊良部大橋
⑬	I	久高島
⑭	T	久米島
⑮	K	南大東島
⑯	Q	古宇利島
⑰	O	辺戸岬
⑱	G	多良間島
⑲	C	波照間島
⑳	J	残波岬

問題1　沖縄料理です。名前を書きましょう。

1-1 （　　　　　　　　　）　　　　1-2 （　　　　　　　　　）

1-3 （　　　　　　　　　）　　　　1-4 （　　　　　　　　　）

1-5 （　　　　　　　　　）　　　　1-6 （　　　　　　　　　）

解 答

1-1 山羊汁（ヒージャー汁）
山羊肉を煮込んで作る料理で沖縄や奄美で食べられている。沖縄では塩味が一般的。ヨモギ（フーチバー）をにおい消しとして使うことが多い。好き嫌いが分かれる料理の一つ。

1-2 ボロボロジューシー
雑炊のように軟らかく炊いたご飯に、いろいろな具材を混ぜたもの。ジューシーは沖縄風炊き込みご飯のこと。

1-3 ソーミンチャンプルー
固めに茹でた素麺（ソーミン）とポーク、ツナ、ニンジンなどの野菜を炒めて作る料理。チャンプルー料理は混ぜて炒めたもので、ゴーヤチャンプルー、豆腐チャンプルー、フーチャンプルーなどがある。

1-4 チャンポン
沖縄のチャンポンは麺類ではない。まず、キャベツ、たまねぎなどの野菜と、ポークランチョンミートなどを炒め、塩コショウと出汁で味を付ける。次に、炒めた具材を卵でとじて、お皿に盛ったご飯にのせると完成。

1-5 ゆし豆腐
豆乳ににがりを入れて固まり始めたふわふわの状態のもの。塩や出汁をかけて食べたり、味噌汁や沖縄そばに入れて食べる。

1-6 豆腐よう
琉球王国時代に中国から伝えられたとされる食品。島豆腐を泡盛や紅麹などに長時間漬け込んだ発酵食品。つまようじで少しずつすくって口に含むのが通の食べ方と言う人もいる。

問題2　沖縄の生物です。名前を書きましょう。

2-1 （　　　　　　　　　　）

2-2 （　　　　　　　　　　）

2-3 （　　　　　　　　　　）

2-4 （　　　　　　　　　　）

2-5 （　　　　　　　　　　）

2-6 （　　　　　　　　　　）

解 答

2-1 オキナワキノボリトカゲ

キノボリトカゲの仲間は、沖縄県内ではオキナワキノボリトカゲ（絶滅危惧Ⅱ類）、サキシマキノボリトカゲ（準絶滅危惧）、ヨナグニキノボリトカゲ（準絶滅危惧）の3つの亜種が知られている。

2-2 オリイオオコウモリ

クビワオオコウモリの亜種で、沖縄島や周辺の島々に分布している（準絶滅危惧）。夜行性で日中は木にぶら下がりじっとしていることが多い。オオコウモリは視覚によって飛翔するため目が大きい。

2-3 ヤンバルクイナ

沖縄島を象徴する生物の一つ。減少傾向にあったが、環境省の資料によると、マングース防除事業の進展に伴い増加傾向にあり、2014年現在、約1500羽が生息していると推定されている。

2-4 オオゴマダラ

日本のチョウとしては最大種の一つ。ゆったりと優雅に飛ぶので観察や撮影がしやすい。幼虫はキョウチクトウ科ホウライカガミの葉を食べる。

2-5 イボイモリ

沖縄県（沖縄島・渡嘉敷島・瀬底島）と鹿児島県（奄美大島・請島・徳之島）に生息する（絶滅危惧Ⅱ類）。肋骨が背中と体の両側に張り出している。動きがゆっくりで側溝などに落ちるとはい上がることができない。ヤンバルには「イボイモリに注意」という道路標識がある。

2-6 オカヤドカリ

1970年に国の天然記念物に指定されたが、沖縄では珍しくないことと、捕獲業者保護のため、許可を得た指定業者による条件付きの捕獲が認められている。

問題3 沖縄の自然物です。名前を書きましょう。

3-1 (　　　　　　　　)

3-2 (　　　　　　　　)

3-3 (　　　　　　　　)

3-4 (　　　　　　　　)

3-5 (　　　　　　　　)

3-6 (　　　　　　　　)

3-1 ドラゴンフルーツの花

メキシコや中南米原産の植物。開花時期は6月から10月。大きな白い花は夜に開花し、朝には閉じる一日花。

3-2 ヒパーツ（ピパーチ）

八重山で昔から使われている島胡椒。正式名称は「ヒハツモドキ」。独特な強い香りが食欲をそそる。

3-3 ドラゴンフルーツのつぼみ

石垣島や宮古島産の新しい食材として注目されている。柔らかくネバネバしたヌメリがある。天ぷらや炒め物などで食べる。

3-4 パッションフルーツの花

大きな3つのおしべが時計の針に見えることからトケイソウという別名がある。花の寿命は1日のみ。昼前頃から開花が始まり夜にはしおれてしまう。

3-5 イルカンダ（ウジルカンダ）

イルカンダは「色カズラ」の意味があるとされる。周囲の木にツルを巻き付け成長する。花期は3月から5月。主に沖縄県や鹿児島県に分布する。

3-6 カニステル

国内では沖縄県が主な産地。完熟した果実は蒸し芋のようにほくほくした食感があり甘い。沖縄県でも知名度は低く、また好き嫌いが分かれる味であることから流通量も少ない。

問題4　沖縄の風景です。どこの島か書きましょう。

4-1 (　　　　　　　　　)

4-2 (　　　　　　　　　)

4-3 (　　　　　　　　　)

4-4 (　　　　　　　　　)

4-5 (　　　　　　　　　)

4-6 (　　　　　　　　　)

解 答

4-1 久高島 （くだかじま・南城市）
琉球開闢（かいびゃく）の祖アマミキヨが降臨したとされる聖地ハビャーン（カベール岬）を背に、島内に向かう道。

4-2 池間島 （宮古島市）
池間湿原。沖縄県最大の湿原で広さは38ha。2001年に環境省の「日本の重要湿地500」に選ばれている。水草が繁茂し野鳥観察の名所となっている。

4-3 伊江島 （伊江村）
沖縄島北部の本部半島から見た伊江島。東西8.4km、南北3km、周囲22.4kmの島。島の中央やや東寄りにそびえる城山（伊江島タッチュー）が島のシンボル。

4-4 西表島 （いりおもてじま・竹富町）
西表島から由布島に向かって歩く水牛車。由布島は周囲2kmの小島で、島全体が亜熱帯植物楽園になっている。

4-5 奥武島 （おうじま・南城市）
奥武島では夏になると奥武漁港で水揚げされた島トビイカの天日干しが見られる。奥武島は天ぷらや魚の刺身でも知られていて観光客でにぎわっている。

4-6 沖縄島
国頭郡国頭村にある比地大滝は落差が約26mある沖縄島最大の滝。入場料金を払い、整備された道や橋を歩くと約1時間で滝に着く。

Q 1　沖縄のしまくとぅばは、ユネスコの消滅危機言語に指定されている。

Q 2　おしゃべりを意味するしまくとぅばは「マブヤー」である。

Q 3　しまくとぅばの「イチャリバチョーデー」は、ありがとうございましたの意味である。

Q 4　かつて国定教科書であった尋常小学校読本には沖縄県版があった。

Q 5　しまくとぅばの「トートーメー」は、遠い記憶のことである。

Q 6　沖縄で神様が下ってくる聖地を御嶽（うたき）という。

Q 7　沖縄県内にある在日米軍施設・区域（専用施設）の総面積は、本土の同面積合計より1割程度狭い。

Q 8　沖縄県の面積は東京都の面積より小さい。

A 1 ○ 2009年ユネスコが発表した「消滅危機言語」2500に、日本で使われているアイヌ語・八丈語・奄美語・国頭語・沖縄語・宮古語・八重山語・与那国語が含まれている。

A 2 × 「マブヤー」には魂の意味がある。おしゃべりを意味するしまくとぅばは「ゆんたく」。

A 3 × 出会えば兄弟のようなものだという意味。「ありがとうございます」は、「ニフェーデービル」。「ありがとうございました」は「ニフェーデービタン」。

A 4 ○ 沖縄県の歴史的、地誌的な特性を配慮した『沖縄県用尋常小学読本』は、沖縄県で1898年から1904年まで使用された。

A 5 × 「トートーメー」は「尊御前」とも書き、位牌のこと。かつては位牌を継承するのは男性と決まっていた。

A 6 ○ 御嶽は各集落の森や高い場所にあり、神女たちが祈願したり村落の祭祀が行われたりする場所。

A 7 × 国土面積0.6％の県土に在日米軍専用施設・区域の70.3％が集中している。（「沖縄から伝えたい。米軍基地の話。Q&A Book」令和2年11月　沖縄県）

A 8 × 沖縄県の面積は約2281㎢で、全都道府県の面積を小さい順に並べると香川県、大阪府、東京都についで4番目になる。約2189㎢の東京より少し広い。

Q 9　沖縄県の県庁所在地は沖縄市である。

Q 10　日本復帰まで、那覇市から名護市までの 65km は、「米合衆国１号線」（USA ハイウェー№ 1）の一部で米軍の通行権が優先していた。

Q 11　渡名喜村渡名喜島と竹富町竹富島は、集落全体が国の重要伝統的建造物群保存地区に選定されている。

Q 12　海の向こうから豊穣を運ぶ五穀の神で、八重山地方の豊年祭や西原町字棚原に旧暦 8 月 15 日に登場する神はココアと呼ばれている。

Q 13　旧盆の仏壇にサトウキビを供えるのは、あの世には甘い物が少ないからである。

Q 14　沖縄戦の開始は、1945 年 3 月 26 日、アメリカ軍が那覇市の西にある慶良間（けらま）諸島に上陸したときである。

Q 15　沖縄最古の寺院である護国寺に滞在し、キリスト教の布教活動を行ったイギリス人ベッテルハイム（1811 ～ 1870 年）は、聖書を琉球語に訳した「琉球語新約全書」を執筆した。

Q 16　久米島と 800 ｍ離れている奥武島の間は遠浅になっていて、奥武島の子どもたちは、橋がかかるまでカヌーを使って登校していた。

A 9 × 那覇市。県名と同名で、県庁所在地ではない市は、ほかに栃木県の栃木市（県庁所在地は宇都宮市）と山梨県の山梨市（同甲府市）がある。沖縄市は沖縄県ができた後の1974年4月1日に、コザ市と美里村が合併して誕生した。

A 10 ○ 現在は国道58号線の一部。

A 11 ○ 重要伝統的建造物群保存地区に選定されているのは、全国43道府県104市町村の126地区（令和3年8月現在）。沖縄県では、1987年に竹富島、2000年に渡名喜島が指定されている。

A 12 × ミルクと呼ばれている。弥勒菩薩のことで、七福神の布袋に似たお面をかぶっている。

A 13 × 強風で倒されても立ち上がることから、サトウキビは先祖があの世に戻るときの杖として供えられる。旧盆前には生のサトウキビがスーパーなどで販売される。

A 14 ○ 米軍は、3月23日から慶良間諸島と沖縄島を空襲し、26日に座間味村の各島、27日に渡嘉敷村の各島に上陸。3月28日、多くの人が「集団自決」に追い込まれた。

A 15 ○ 「琉訳聖書」とも呼ばれる。

A 16 × 竹馬を使って登校していた。久米島の東800m沖合にある奥武島の子どもたちは、1983年に海中道路が開設されるまで、干潮時は徒歩で、満潮時は竹馬か漁船で通学していた。

Q17 沖縄県では子どもの3分の1が貧困状態にある。

Q18 2019年2月24日に行われた、米軍普天間飛行場の移設に伴う「辺野古米軍基地建設のための埋立ての賛否を問う県民投票」では、3分の2の自治体で反対多数だった。

Q19 沖縄戦下、戦火から天皇や皇族の写真「御真影」を守る部隊「御真影奉護隊」は、主に若い警官で組織された。

Q20 旧暦3月3日は浜下り（ハマウリ）で、男の子の節句である。

Q21 1970年12月20日午前0時15分頃、コザ市（現・沖縄市）で起きた「コザ騒動」は、アメリカ人が運転する車に道路横断中の日本人男性がはねられ怪我を負った事故が発端となった。

Q22 日本政府が米国との復帰交渉で掲げた原則は、「核抜き、本土並み」だった。

A 17 ○ 2016年1月に県が発表した子どもの貧困率推計では、子どもの貧困率が29.9％で、全国16.3％の約1.8倍だった。3人に1人が貧困状況にあることになり、さまざまな対策が講じられつつある。（「新たな子どもの貧困対策計画」（素案）沖縄県　令和4年2月）

A 18 × 全市町村で反対多数だった。投票率52.48％、投票総数の71.7％にあたる43万4273票が「反対」、「賛成」19.0％（11万4933票）、「どちらでもない」8.7％（5万2682票）。（「沖縄から伝えたい。米軍基地の話。Q&A Book」令和2年11月　沖縄県）

A 19 × 御真影は天皇と同一視され、全国の学校で神聖なものとして扱われた。「御真影奉護隊」は学校の教員で組織された。戦争が激しくなると、御真影は名護市にある「御真影奉護壕」と呼ばれる壕に集められた。

A 20 × 女の子の節句。海水に手足を浸して健康を願う行事。家族総出で弁当を持ち、潮干狩りをする家庭もある。

A 21 ○ 糸満市で主婦を車でひき殺した米兵が軍事裁判で無罪となった後に起きた事故で、米軍への反感が高まっていた。ＭＰ（Military Police：憲兵）の威嚇発砲があり、群衆が駐車中のＭＰや外国人の車両に次々と放火し、騒動は朝まで続いた。

A 22 ○ 戦術核ミサイルは撤去されたが、有事の際の核再持ち込みを認める合意が日米両首脳間で交わされていたことが、後日明らかになった。沖縄の基地を米軍が「自由使用」できる権利も変わらなかった。

Q23 米軍基地内には大学や大学院が複数あるが、日本国籍の者は受験することができない。

Q24 米国統治下の沖縄の人々が日本に渡航するためには、アメリカ人と同じパスポートを取得する必要があった。

Q25 沖縄に来たことのある現職のアメリカ大統領は、九州・沖縄サミット（2000年）に出席したクリントン大統領だけである。

Q26 1952年5月5日から1953年12月25日まで、琉球大学大島分校があった。

Q27 在日米軍基地の星条旗下に掲げられている黒っぽい旗は、戦争捕虜と戦争中の行方不明者に敬意を表したものである。

Q28 沖縄で売られているパック牛乳の容量は985mlである。

A 23 ✗ 米軍基地内には、MCCS P&PD Education and Career Services（Foster）、Kadena Education Center（Kadena）、University of Maryland University College Asia（Kadena）、Troy University（Kadena）、と複数の教育関係施設がある。これらのなかで、沖縄県国際交流・人材育成財団に募集要項が掲載された大学・大学院は日本国籍の者も受験が可能で、合格すると入学することができる。

A 24 ✗ 琉球列島米国民政府が発行する「日本渡航証明書」（パスポート）が必要だった。アメリカの沖縄統治を批判する人は発行を拒否されたり、発行が遅くなったりした。

A 25 ✗ アメリカ統治下の 1960 年に、アイゼンハワー大統領も訪問している。嘉手納基地に下り立ち、オープンカーで 1 号線を南下し那覇に向かった。

A 26 ○ 大島大学の構想もあったが、琉球大学の分校として、奄美大島の日本復帰まで現在の奄美市に開設された。

A 27 ○ 2021 年から常時掲揚されるようになった。POW（Prisoner of War：戦争捕虜）と、MIA（Missing in Action：戦争中の行方不明者）に敬意を表している。

A 28 ✗ 946ml。牛乳やジュースなどの紙パック飲料は 946ml（ハーフサイズは 473ml）であることが多い。復帰前に使われていた米国の液量単位 1 ガロン 3.785 ℓ が基本になっていて、946ml は 4 分の 1 ガロン、その半分の 473ml は 8 分の 1 ガロンにあたり、今も当時の規格が採用されている。

Q29 那覇大綱挽の勝負線は、綱の中心線からそれぞれ 10m と決められている。

Q30 沖縄島では雨量不足のため、1981 年 7 月 10 日から 1982 年 6 月 6 日まで 326 日間にわたる給水制限が行われたが、航空機による散水方式の人工降雨作戦が成功し、水不足が解消した。

Q31 アカバナーと呼ばれ、昔は葉をもんだ液が髪を洗うときに使われていた植物はハイビスカスである。

Q32 沖縄県の県鳥はヤンバルクイナである。

Q33 沖縄県の海には、世界に生息するサンゴの約半数の種類がすんでいる。

Q34 沖縄に雪が降った公式記録はない。

Q35 国内歴代最高気温ランキング上位 20 位に入る沖縄県内の観測地点は 4 カ所である。

24

A 29 × 5 m。

A 30 × 飛行機からの散水が11回行われたが成果は上がらなかった。1982年6月2日から3日にかけての豪雨でダム貯水量が回復し、制限が解除された。

A 31 ○ アオイ科フヨウ属の植物。和名で仏桑華（ブッソウゲ）と呼ばれる。

A 32 × ノグチゲラ。国の特別天然記念物で、沖縄島北部にのみ生息する鳥。固有種であることと、生息数が減って絶滅のおそれがあるなどの理由から1972年に県鳥に選ばれた。

A 33 ○ サンゴは「刺胞動物」で、クラゲやイソギンチャクと同じ仲間。世界には600〜800種が生息し、沖縄には380種以上がすんでいると考えられている。

A 34 × 気象台の記録で、1977年2月17日に久米島で「みぞれ」が観測されている。雨と雪が混ざった「みぞれ」は観測分類上「雪」に含まれる。また、2016年1月24日夜に名護市、久米島でも「みぞれ」が確認されている。

A 35 × 九州沖縄の観測地点はひとつも入っていない。

Q 36　琉球石灰岩は数万年以上前にサンゴや有孔虫、貝殻など生物の遺骸が堆積して形成されたものである。

Q 37　沖縄県でリュウキュウアユは一度絶滅したが、現在は鹿児島県屋久島産を人工飼育して移入した個体が生息している。

Q 38　オリヅルスミレはダム工事で水没し、野生種は絶滅した。

Q 39　夜光貝は夜になると自ら光を出して輝く。

Q 40　1967 年に県民投票で「県花」に指定されたのはハイビスカスである。

Q 41　石垣島に関係のある「きいやま商店」は、オヒルギを使った家具製作で知られている。

A 36 ○ 沖縄では御嶽やグスク、墓、石垣などで使われている。貝などの化石を発見できることもある。

A 37 × 沖縄島と鹿児島県奄美大島にのみ生息するアユ。沖縄島の在来個体群は1978年に採集されたものが最後で、その後絶滅したとされる。1991年に奄美大島産の稚アユを和歌山県内水面漁業協同組合連合会から譲り受けて、沖縄島内数カ所に放流。福地ダムでは、陸封化された個体が定着している。

A 38 ○ オリヅルスミレは国頭郡国頭村の辺野喜（べのき）川沿いで1982年に発見されたが、自生地がダムの底に沈み野生絶滅種となった。各地の植物園なとで栽培され、系統が維持されている。

A 39 × 自ら光は出さない。「ヤク」は「屋久島」のことで「夜光貝」はヤクガイの当て字という説がある。軟体部は刺身やバター焼きなどで食用とされる。

A 40 × デイゴ。日本復帰前の1965年に「沖縄タイムス」と緑化推進協議会の呼びかけで県民投票が行われ、7万5653通の応募のなかでデイゴが6万6252票を集めた。

A 41 × リョーサ、だいちゃん、マストの兄弟3人で結成されたエンタメユニット。ユニット名は石垣島にある祖母の商店名からとっている。

Q42 わらべ歌「てぃんさぐぬ花」の「てぃんさぐ」は、ハイビスカスのことである。

Q43 琉球王国の時代、中国皇帝から派遣される冊封使（さくほうし、さっぽうし）を歓待するために創作されたのが組踊のはじまりである。

Q44 AFN は、American Forces Network の略で、在日米軍向けテレビ・ラジオ局。AM 放送（648kHz）と FM 放送（89.1MHz）があり、基地内でのみ聴くことができる。

Q45 「海よ祈りの海よ」で始まるイクマあきらが歌う作品は「パワフル琉球」。

Q46 空手道は沖縄県で生まれて世界に広まったスポーツ。

Q47 サイクリングは沖縄県で人気のあるスポーツで、スポーツ人口は全国でも多い方である。

A 42 × てぃんさぐはホウセンカのこと。1番の歌詞では、ホウセンカでツメを赤く染めるように、親の言うことは心に染めなさいと歌われている。

A 43 ○ 1719年に首里城で初演された。

A 44 × 嘉手納基地からの英語放送で、周波数がひろえる地域では視聴可能。AFNは、米軍の東京都横田基地、山口県岩国基地、青森県三沢基地、長崎県佐世保基地にも放送局がある。インターネットラジオ、YouTube チャンネルではデジタルテレビ番組も視聴可能。

A 45 × 「ダイナミック琉球」。琉球大学土木工学科創立50周年記念上演作、現代版組踊絵巻『琉球ルネッサンス』のテーマ曲として2008年に制作された。

A 46 ○ 琉球王国の士族が学んだ護身術が発展したのが空手。中国武術と融合し、現在の空手の基本が生まれた。2021年東京オリンピックでは、喜友名諒が沖縄県のアスリートとして初の金メダルを獲得した。

A 47 × 過去1年間に何らかのスポーツ活動を行った人の10歳以上の人口に占める割合（行動者率）を見ると、沖縄県ではサイクリングが4.2%となっており、全国平均（7.9%）を大きく下回る。全国ランキングでは46位となっている。（「100の指標からみた沖縄県のすがた」令和4年3月版）

Q48　沖縄県全体をホームタウンとするプロサッカーチーム、FC琉球のエンブレムには、王冠と対のシーサーがデザインされている。

Q49　日本のセミプロ卓球リーグであるTリーグに所属し、沖縄県に本拠地がある琉球アスティーダ。チーム名にある「アスティーダ」は、スペイン語で「集中力」を意味している。

Q50　薩摩藩に支配されていたころ、琉球王国は薩摩藩に庖丁人を送り日本料理を学ばせた。

Q51　ミミガー、テビチ、ラフテーは、牛肉を使った沖縄料理。

Q52　イリチーは炒め物のことで、チャンプルーは炒めたものをだし汁などを加えて煮たもの。

Q53　沖縄県の家計（2人以上の家庭）の消費支出に占める食料費の比率は、全国で3番目に高い。

Q54　糸満の西南門小（にしへーじょうぐわー）カマボコ屋が元祖の、おにぎりに魚のすり身を巻いて丸い玉状に揚げたものを天ぷら卵という。

Q55　沖縄県では、ほかの都道府県では認められていない、温かいままの豆腐を販売することができる。

A 48 ○ 王冠には「いつ（五つ）の世（四つ）までも末永く」というミンサー織に由来した、5つの線に4つのポイントがデザインされている。対のシーサーは、片方の開いた口は勝利を呼び込み、もう片方の閉じた口は勝利を離さないという想いが込められている。

A 49 × 未来を照らす太陽を表す。アスは明日、ティーダは沖縄方言で太陽のこと。

A 50 ○ 琉球王国は、中国からの冊封使を接待する目的で庖丁人を中国に送り、中国料理を学ばせたこともある。

A 51 × ミミガーの素材は豚の耳、テビチは豚の足、ラフテーは豚のバラ肉と、すべて豚を使った沖縄料理。

A 52 × イリチーは炒めたものにだし汁などを加えて煮たもので、チャンプルーは炒め物。イリチーには、昆布イリチー、おからイリチー、血イリチーなどがある。

A 53 ○ 30.6％で全国平均の27.5％より3％高く、大阪府31.2％、京都府31.1％に次いで全国3位。（令和2年調査「100の指標からみた沖縄県のすがた」令和4年3月版）

A 54 × ばくだんおにぎり。海で漁師が片手で食べるものとして開発された。おにぎりの具はいろいろあり選べる。

A 55 ○ 沖縄県では豆腐づくりの伝統が認められ、特例として温かいまま豆腐を販売することが認められている。

Q56 さんぴん茶は、ジャスミン茶と同じお茶である。

Q57 編み物・手芸の行動者率は全国で最も高い。

Q58 「かりゆしウェア」は 1990 年に公募で呼び名が決まるまで「おきなわアロハ」と呼ばれていた。

Q59 1682 年に各地の窯場が一つに集められ琉球王府主導のもと誕生した焼物（やちむん）の村が、現在の読谷村やちむんの里である。

Q60 ホテル「オクマ プライベートビーチ＆リゾート」は、戦後返還された米軍司令部「Ryukyu Command Headquarters」の跡地に建てられたホテルである。

Q61 沖縄でよく見られるオリイオオコウモリを英語で言うと、Orii's fruit bat（オリイフルーツバット）である。

A 56 ○ さんぴん茶は沖縄の呼び名で、中国名の香片茶（シャンピェンチャ）からとったと考えられている。緑茶にジャスミンの花の香りをつける製法が一般的。

A 57 × 7.0%で、全国47位と最も低い。全国平均は10.6%。（令和2年調査「100の指標からみた沖縄県のすがた」令和4年3月版）

A 58 × おきなわシャツ。最初のかりゆしウェアには、ハイビスカス、守礼門、ヤシの木などがデザインされていた。

A 59 × 那覇の壺屋。周囲が住宅地で1970年代に登り窯から出る煙が公害とされ全面使用禁止になった。読谷村に移る窯元もあったが、登り窯からガス窯に替えるなどし壺屋に残った窯元もあった。壺屋の一本道両側に連なる焼き物の店は、多くの観光客でにぎわっている。

A 60 × 1978年にVoice of America（極東米軍放送基地）跡地に、日本航空が主体となり「ヴィラオクマリゾート」として開業し、2017年に現在の名前に変更した。米軍司令部「Ryukyu Command Headquarters」があった場所の近くに、2015年4月に開業したのがイオンモール沖縄ライカム。ライカムは「Ryukyu Command Headquarters」の略称で、「ライカム交差点」に隣接していることから命名された。

A 61 ○ 主に果実類を食べるが、花や葉のほか昆虫類を食べることもある。南西諸島や台湾などに分布しているクビワオオコウモリの一種（亜種）で、沖縄島やその周辺の島々に分布する。

Q 1 「沖縄」の語源として有力なものは？

A　沖にある漁場
B　沖から吹く暖かい風
C　沖にある縄のように見える島

Q 2 第160回直木賞、第9回山田風太郎賞、第5回沖縄書店大賞の三冠を達成した2018年に出版された真藤順丈の小説は？

A　巌窟王
B　宇宙旅行
C　宝島

Q 3 しまくとぅば「ニフェーデービル」「ミーファイユー」と同じ意味の言葉は？

A　タンディガータンディ
B　クワッチーサビタン
C　グブリーサビラ

A 1　正解 A

ほかにも、沖にある場所、釣り縄を置いた場所などの説
がある。

A 2　正解 C

戦後、米軍統治下の沖縄でしたたかに生きるグスク、ヤ
マコ、レイたちの物語。

A 3　正解 A

ニフェーデービル（沖縄島）、ミーファイユー（八重山）、
タンディガータンディ（宮古）は「ありがとう」。クワッ
チーサビタン（沖縄島）は「ごちそうさま」、グブリー
サビラ（沖縄島）は「さようなら」。

Q4　大城立裕が芥川賞を受賞した作品は?

　　　A　日の果てから
　　　B　カクテル・パーティー
　　　C　レールの向こう

Q5　「金楚糕」の読み方は?

　　　A　サーターアンダーギー
　　　B　くんぺん
　　　C　ちんすこう

Q6　沖縄島を中心にして生まれた叙情歌「琉歌」の形式は?

　　　A　七・七・八・八音の三十音
　　　B　八・七・八・七音の三十音
　　　C　八・八・八・六音の三十音

A 4　正解 B

大城立裕は中城村出身。1967 年に『カクテル・パーティー』で沖縄初の芥川賞を受賞。ほかに沖縄から南米に移住した人々の苦労を書いた短編集『ノロエステ鉄道』などがある。

A 5　正解 C

昔は王族しか食べられなかったお菓子。現在では沖縄土産の代表格。「金」には黄金色に輝く、「楚」には溶けるような口当たり、「糕」には焼き菓子という意味がある。

ちんすこう
金楚糕 漢字で書くと雅♢

A 6　正解 C

オモロ、ウムイ、クェーナなど沖縄諸島に伝わる叙事的な古謡から 15 世紀頃に生まれたのが琉歌。三線や箏(こと)の伴奏で謡われていた。

Q 7　沖縄の方言「チムドンドン」の意味は？

A　胸がドキドキする
B　にぎやかで楽しい
C　おなかいっぱい

Q 8　沖縄のあいさつ「ハイサイ」と「ハイタイ」の違いは？

A　午前中は「ハイサイ」、午後は「ハイタイ」を使う。
B　「ハイサイ」は男性が使い、「ハイタイ」は女性
　　が使う。
C　「ハイサイ」は子どもが使い、「ハイタイ」は大
　　人が使う。

Q 9　アガリ・イリ・フェーときたら次は何？

A　マンタ
B　ニシ
C　ボク

A 7   正解 A

チムは肝や心のこと。「チムドンドンしてきた」「チムドンドンした」のように使う。心が美しい、情け深いことは「チムジュラサン」という。

A 8   正解 B

「久しぶりだね」「どうも」「おはよう」「こんにちは」などの意味で、一日中使えるのが「ハイサイ」と「ハイタイ」。

A 9   正解 B

沖縄方言で、アガリ（東）・イリ（西）・フェー（南）・ニシ（北）。アガリは太陽が上がるから、イリは太陽が地面に入るように見えるから。フェーとニシの語源は諸説あり定説はない。

Q10　ウチナーグチで「ハーベールー」といえば何？

　　A　コオロギ
　　B　チョウ
　　C　カ

Q11　石垣島の「オーリトーリ」と似た意味の沖縄島の言葉は？

　　A　クワッチーサビラ
　　B　メンソーレ
　　C　ナンクルナイサー

Q12　沖縄3大綱ひきを漢字で書くと正しいのは？

　　A　那覇大綱曳
　　B　糸満大綱引
　　C　与那原大綱挽

A 10 **正解 B**

コオロギは「カマゼー」、カは「ガジャン」。「ハーベールー」
はチョウだけでなくガも意味している。

A 11 **正解 B**

「オーリトーリ」は、「メンソーレ」と同じでようこそ、
いらっしゃい。「クワッチーサビラ」は、いただきます、
「ナンクルナイサー」は、なんとかなるさ。

A 12 **正解 B**

正しく書くと、那覇大綱挽・糸満大綱引・与那原大綱曳。
「挽」「引」「曳」にはどれも、「ひく、ひっぱる」という
意味がある。

Q13 本土復帰前の沖縄で、米軍が検査をし、米軍関係者が利用できるとして合格した店などに発行した営業許可証を何という？

A　Sライセンス
B　G5
C　Aサイン

Q14 沖縄県民総所得に占める米軍基地関連収入は？

A　約6%
B　約19%
C　約42%

Q15 糸満市の県営平和祈念公園にある平和の広場にある「平和の火」は、被爆地広島市の「平和の灯」と長崎市の「誓いの火」と、もう1カ所はどこで採火した火を合火したもの？

A　与那覇岳山頂
B　与那国島
C　座間味村阿嘉島

A13 　正解 C

Aサインの「A」は「Approved（許可済）」の頭文字。
軍人・軍属は、Aサインのない施設での飲食は禁止さ
れていた。沖縄返還直前の1972年4月15日に廃止され
た。

A14 　正解 A

基地関連収入が県民総所得に占める割合は、復帰前の昭
和40年度が30.4％、復帰直後の昭和47年度が15.5％、
平成26年度が5.8％。（「沖縄から伝えたい。米軍基地の
話。Q&A Book」令和2年11月　沖縄県）

A15 　正解 C

阿嘉島は沖縄戦最初の米軍上陸地。米軍は補給基地とし
て慶良間諸島の制圧を開始、数百の艦隊による艦砲射撃
の後、1945年3月26日午前8時4分に上陸し、数日で
島を占拠した。

Q 16 沖縄にあるすべての海兵隊基地、海兵隊ハワイ基地、韓国海兵隊ムジュク基地、岩国航空基地、普天間航空基地、そしてキャンプ富士を管轄下に置く米海兵隊太平洋基地司令部はどこにある？

A　浦添市の西海岸沿いにあるキャンプ・キンザー

B　沖縄島最北端の国頭村と東村にまたがるキャンプ・ゴンサルベス

C　北中城村にあるキャンプ・バトラー

Q 17 在日米海兵隊が夜間の飛行訓練を行わず静粛を守るよう最善を尽くすとしているのは、休日や文化的意義のある日と、どの時間帯？

A　午後 5 時から午前 8 時

B　午後 8 時から午前 7 時

C　午後 10 時から午前 6 時

Q 18 沖縄県にある米軍基地の、軍別構成割合で正しいのは？

A　海軍が約 3 割と最も多い

B　陸軍、海軍、空軍、海兵隊がほぼ同じ割合

C　海兵隊が約 6 割と最も多い

A 16 正解 **C**

米海兵隊太平洋基地司令部の任務は、沖縄に駐留するすべての部隊とテナント部隊に最高品質の継続的かつ合理的なサービスと支援を提供することとされている。

A 17 正解 **C**

「在日米海兵隊」ウェブサイトの「よくある質問」に「Q. 夜間飛行訓練は許可されていますか？」とあり、「米海兵隊は、日本政府との二国間合意に従って訓練を行っています。飛行を含む訓練が禁止されている時間帯や曜日はありません」とした上で午後 10 時から午前 6 時の時間帯など静粛を守る目安を示し、「夜間訓練を行う必要がある場合には、指揮官はできる限り迅速に訓練が終了するように最善を尽くしています」と回答している。

A 18 正解 **C**

2011 年の資料によると、海兵隊が 59.5 ％、次いで空軍26.2 ％、海軍 8.4 ％、陸軍 6.0 ％。（「数字で見る沖縄県の米軍基地」沖縄県）

Q19 琉球の最高神女、聞得大君（きこえおおきみ）の就任式が行われたとされる聖地は？

A 斎場御嶽（せーふぁうたき）
B 久高御殿庭（くだかうどぅんみゃー）
C 首里森御嶽（すいむいうたき）

Q20 1948年8月6日、伊江島で起きた事故で爆発したのは？

A 石油タンク
B 天然ガス
C 不発弾や未使用爆弾

Q21 沖縄のガンジーといわれる阿波根昌鴻（あはごんしょうこう）たちが作った、米軍への陳情規定の文に書かれているのは？

A 大きな声を出して相手を圧倒すること
B 会談の時は必ず立って話すこと
C 耳より上に手を上げないこと

A19　　**正解 A**

斎場御嶽は琉球の始祖「アマミキヨ」が造った国始めの七御嶽の一つで、沖縄最高の聖地。琉球国王や聞得大君の聖地巡拝の行事を今に伝える「東御廻り（あがりうまーい）」の参拝地として崇拝されている。

A20　　**正解 C**

伊江島米軍弾薬輸送船爆発事故と呼ばれる。米軍が船で島外に持ち出そうとしていた不発弾や未使用爆弾が荷崩れを起こし爆発、死者107人、負傷者70人という大事故になった。（米国事故調査報告書）

A21　　**正解 C**

11項目からなる陳情規定には、「大きな声を出さず、静かに話す」「会談の時は必ず座ること」などが記されている。「耳より上に手を上げないこと」には続けて、「米軍はわれわれが手をあげると暴力をふるったといって写真をとる」と理由が書いてある。

Q22　潟原（かたばる）ダム、鍋川ダム、大川ダム、漢那ダムがあり、阪神タイガースのキャンプ地のある自治体は？

A　大宜味村
B　宜野座村
C　嘉手納町

Q23　戦後の一時期、台湾、香港、マカオとの密貿易で栄えた島は？

A　与那国島
B　西表島
C　南大東島

Q24　宮古島市多良間の八月踊りのいわれで正しいのは？

A　重税を無事に納めたことを祝い喜ぶ踊り
B　寒い冬が終わり暖かい季節を迎えたことを喜ぶ踊り
C　卒業を祝う踊り

A 22　**正解 B**

「水と緑と太陽の里」として知られる宜野座村。漢那ダムは、生態系の保全に配慮し、魚道の設置、小動物保護型側溝の設置など環境保全対策を行い造られた。

A 23　**正解 A**

敗戦後の与那国島では、国境線が引かれた台湾との間で、食料品や医薬品を購入し、米軍の横流し品や使用済み薬莢などを売る密貿易が行われた。最盛期には、与那国島の人口は2万人を超し、料亭や映画館などもあった。

A 24　**正解 A**

宮古・八重山地方では、15歳から50歳までの農民が重税を課せられていた。宮古郡多良間村では毎年の重税を無事に納めたことをみんなで祝った。祝いの席での踊りが豊年祭・八月踊りとして現在まで伝わっている。

Q25 15世紀から江戸末期まで、冊封使と呼ばれる中国皇帝からの使者が来ていたが、そのタイミングは？

A　琉球王が替わったとき
B　琉球王が亡くなった時
C　10年置き

Q26 宮古島市にある有人島は宮古本島、大神島、池間島、来間島、伊良部島、下地島。このなかで宮古本島から陸路で行けない島は？

A　大神島（おおがみじま）
B　伊良部島（いらぶじま）
C　ない

Q27 北谷間切の野国村に生まれ育った野國總管（のぐに そうかん）は、中国から何を持ち帰り、食べ物に困っていた人々を救った？

A　甘藷（かんしょ＝いも）
B　サトウキビ
C　ジャガイモ

A 25 　正解 A

中国の皇帝が琉球王に即位を認める文書を持ってくるの
が冊封使。冊封使は御冠船（おかんせん）で 400 人から
500 人で訪れ、半年以上滞在したといわれている。

A 26 　正解 A

宮古島の北にあり、船で約 15 分の場所。島内には聖域
が多く、立ち入り禁止区域も多い。半農半漁の島で、カー
キダコと呼ばれる燻製ダコが特産。宮古島の島尻港から
大神海運の運航するフェリー「ウカンかりゆす」（1 日 4
往復）の定期便で行くことができる。

A 27 　正解 A

1605 年、野國總管が中国福建省から持ち帰った甘藷は、
野國總管生誕の地・野国から琉球全土、そして薩摩を経
て全国へ広まり、人々を餓えから救った。北谷に野國總
管の墓と甘藷発祥の地の碑がある。

Q28　「ウリズン」が意味する期間はおおむねどれ？

A　ヒカンザクラの咲いている間
B　春分から梅雨入りまで
C　渡り鳥のサシバが来ている間

Q29　琉球の統一王朝が、沖縄と奄美の島々各地にあった
歌謡を集めた本は？

A　かぎやで風
B　南島雑話
C　おもろさうし

Q30　那覇大綱挽まつりの説明で正しいのは？

A　会場の国道にある中央分離ブロックは取り外せ
る
B　綱は毎年半分を新しく作る
C　戦争中も毎年実施されていた

A 28　　**正解 B**

おおむね春分（3月末）から梅雨入り（5月上旬から中旬）
の時季を指す。冬が終わり暖かくなるころと表現する人
もいる。

A 29　　**正解 C**

16世紀から17世紀にかけて少なくとも3回に分けて収
集されたとされている。全22巻に収録されている歌謡
は重複を除くと1248首。原本は1709年の首里城火災に
より消失している。

A 30　　**正解 A**

1935年を最後に途絶えていたが、日本復帰の前年1971
年に平良良松那覇市長により市制50周年記念事業とし
て復活した。1999年の祝日法改正までは、那覇が1944
年に空襲に見舞われた10月10日に行われていた。現在
はスポーツの日の前日に実施されている。実施後、綱は
縁起物として持ち帰るのが伝統になっている。

Q31　昭和初期の小学校国語教科書に採用された稲垣國三郎「白い煙・黒い煙」の文中で、老夫婦が行っていた行動は？

　A　三線を弾きながら島唄を歌っていた
　B　松の青葉をもやして白い煙をあげていた
　C　大きな白い旗を振っていた

Q32　日清戦争後、沖縄でおこった公同会運動が 40 万人沖縄県民の幸福を実現するためにという名目で行った請願運動とは？

　A　県知事を旧王家一族（尚氏）の世襲にする
　B　県知事を置かず内閣が直接管理する地域とする
　C　選挙で選ばれた有人島代表が持ち回りで県知事を担当する

Q33　久米島の北約 28km にあり、島全体が米軍の軍事演習場で空対地射爆撃訓練が行われている島は？

　A　鳥島
　B　オーハ島
　C　硫黄鳥島

54

A 31　　正解 B

大阪行きの船に乗り島を離れる娘へ、老夫婦の想いを伝える合図の白い煙。知名定繁作詞・作曲の沖縄民謡「別れの煙」でも知られる。作品の舞台である名護城跡には石碑が建つ。

A 32　　正解 A

公同会運動で 7 万 3000 人の署名を集め、1897 年に請願団が上京したが退けられた。時代錯誤の復藩論として批判も多く実現することはなかった。

A 33　　正解 A

鳥島射爆撃場では、1995 年 12 月から翌年 1 月にかけて計 3 回、米海兵隊ハリアー機が訓練中に計 1520 発の劣化ウランを含有する徹甲焼夷弾を誤って使用していたことが判明している。（沖縄県 HP）

Q34 太平洋戦争末期、波照間島の住民は日本軍人によっ
て西表島南部の南風見田（はいみだ、はいみた）に
強制疎開させられた。そこでほぼ全員が罹患し、島
民の3分の1の人が命を落とすことになった病気
は？

A　ペスト
B　マラリア
C　腸チフス

Q35 1872年に石垣島の大浜加那は、西表島のある資源
の存在を薩摩藩の林太助に伝えたことで、琉球王国
から波照間島に流刑にされた。その資源とは？

A　石油
B　鉄鉱石
C　石炭

Q36 石垣市大浜崎原公園に像が建つオヤケアカハチと
は？

A　琉球王国と戦い敗れた豪族
B　琉球王国の総大将として八重山を統一した豪族
C　薩摩藩と戦い敗れた豪族

56

A 34 **正解 B**

南風見田はマラリアの汚染地帯とわかっていたが強制的に疎開させられた。この状態を憂い、石垣島の旅団長に惨状を訴え疎開命令解除を実現したのが波照間国民学校の識名信升（しきな しんしょう）校長。後に南風見田海岸の岩に、識名信升が記した「忘勿石　ハテルマ　シキナ」の文字が発見された。死者も多く出た当時の出来事を忘れないようにという願いから刻まれたものだった。傍らに建つ「忘勿石（わすれないし）の碑」と共に慰霊の場、平和学習の場になっている。

A 35 **正解 C**

西表島の石炭史は、囚人労働に始まった。マラリアのまん延による多数の死者、嘘の広告による募集と、厳しい労働環境下での悲劇が多数伝えられている。経営会社がいくつか替わったのち1960年代前半に廃坑となった。

A 36 **正解 A**

琉球王国の尚真王は、服従しない八重山に、宮古の支配者で臣下となった仲宗根豊見親（なかそね とぅゆみゃ）を加えた遠征軍を送った。1500年3月12日石垣島に着いた遠征軍は、アカハチ軍と戦い勝利した。

Q37　琉球大学が中城村養殖技術研究センターで養殖し商品化した魚は？

  A　イラブチャー
  B　グルクン
  C　ミーバイ

Q38　石垣島地方と与那国地方を指すのは？

  A　先島諸島
  B　八重山列島
  C　南西諸島

Q39　沖縄の島しょのうち、有人島と無人島の数は？（島しょとは面積が 1 ha 以上ある島をいう）

  A　有人島 37　無人島 83
  B　有人島 47　無人島 113
  C　有人島 57　無人島 153

A 37　正解 C

環境に優しい方法で育てられている魚で、「琉大ミーバイのアクアパッツァ」として発売されている。中城村養殖技術研究センターは、再生可能エネルギー等の活用で「なにも捨てない農水一体型サステイナブル陸上養殖」を目指している。

A 38　正解 B

南西諸島は鹿児島県の薩南諸島、沖縄県の琉球諸島をまとめた呼び名。琉球諸島のうち宮古列島、八重山列島、尖閣諸島が先島諸島。

A 39　正解 B

沖縄県には東西約 1000km、南北約 400km の海域に 160 の島々がある。(沖縄県 HP「離島の概況について」)

Q40　1609 年 3 月 4 日、樺山久高を総大将とする薩摩軍は山川港を出港し、奄美大島・徳之島を攻め落とし、3 月 25 日に沖縄島に上陸したが、それはどこ？

A　大浦湾
B　那覇港
C　運天港

Q41　薩摩藩が支配する琉球を、形式的には王朝のままにしておいた理由は？

A　支配するほどの軍事力がなかったから
B　中国と琉球の貿易を続け、利益を上げるために必要だったから
C　江戸幕府が命令したから

Q42　1978 年 7 月 30 日に沖縄で実施された大きな変更は？

A　通貨単位がドルから円に変わった
B　車の交通方法が、右側通行から左側通行に変わった
C　英語が公用語から削除された

A 40　　正解 C

薩摩軍は 3 月 27 日に今帰仁城を攻め落とし、4 月 1 日に首里城を包囲した。尚寧王（しょうねいおう）は和睦を申し入れ薩摩軍が勝利した。尚寧王は薩摩へ連行され、2 年半後に帰国した。

A 41　　正解 B

中国は臣下となった国としか貿易を許さなかったので、薩摩藩は琉球と中国の関係を変えないように表面的には王朝のままにした。

A 42　　正解 B

アメリカと同じだった車の右側通行が復帰 6 年後の 1978 年 7 月 30 日午前 0 時に左側通行に変わった。ナナサンマルと呼ばれている。那覇の沖縄県庁構内に記念碑、石垣市には 730 交差点記念碑、宮古島市熱帯植物園前には 730 記念塔がある。

Q43 1543年にデ・ラ・トーレ（スペイン人）が2つの大きな島を発見し、ラス・ドス・ヘルマナスと名付けたのが大東島の最初の記録。ラス・ドス・ヘルマナスの意味は？

A　南の楽園
B　海鳥の世界
C　二人姉妹島

Q44 南大東島の説明で正しいのは？

A　沖縄一高い山がある
B　ドイツ人が発見した
C　サンゴの島である

Q45 1944年10月10日の那覇10・10空襲の説明で正しいのは？

A　飛行場と軍施設だけが爆撃を受けた
B　延べ139機の米軍艦載機が爆弾や焼夷弾を投下した
C　日本政府は、国際法規違反であると抗議した

A 43　　正解 C

1885年に日本政府は、大東諸島として北大東島と南大
東島の領有を宣言し沖縄県に編入した。大東諸島は、大
陸や日本列島と一度も陸地がつながったことがない。

A 44　　正解 C

1820年にロシア人のポナフィディンが発見し、その後
八丈島から移民してきた人々によって開拓された。海岸
近くが高く内陸ほど低くなっている。

A 45　　正解 C

飛行場と船舶や軍施設が攻撃目標だったが、民間居住地
域も焼夷弾で攻撃を受けた。爆弾や焼夷弾を投下した米
軍艦載機は延べ1396機。

Q 46　日本が 1 都 1 道 2 府 43 県になったのはいつ？

A　1871 年
B　1945 年
C　1972 年

Q 47　沖縄県那覇港から鹿児島県新港まで定期フェリーで
何時間かかる？

A　約 11 時間
B　約 25 時間
C　約 33 時間

Q 48　沖縄県で利用が推奨されている紙幣は？

A　千円札
B　二千円札
C　五千円札

A 46　　正解 C

1871年、廃藩置県が行われたときに誕生したのは3府302県。3府は東京府、大阪府、京都府。302県は同年内に72県に再編成された。今の1都1道2府43県になったのは、沖縄県が日本に復帰した1972年5月15日。

A 47　　正解 B

那覇港を午前7時に出港したフェリーは、沖縄県の本部港と鹿児島県奄美諸島の4港に寄港し、約735kmを航行。最終目的地鹿児島新港には翌朝8時30分に入港する。

A 48　　正解 B

二千円札は2000年7月19日に新たに発行された紙幣。表に沖縄県の守礼門がデザインされていることから、沖縄県では利用が推奨されていて、琉球銀行のATMには二千円札優先ボタンがある。

Q49　14 世紀から 19 世紀中期まで行われた対中国交易・使節を派遣するために用いられた、琉球王国の進貢船などにつけられていた旗に使われたデザインは？

A　ムカデ
B　ヤモリ
C　カエル

Q50　日本最東端の南鳥島、日本最西端の与那国島、日本最南端の沖ノ鳥島、日本最北端の択捉島の中で、一般の人が自由に行くことのできる島はいくつある？

A　1 島
B　2 島
C　3 島

Q51　国道 58 号線は那覇市の明治橋からどこまで？

A　名護市役所前
B　鹿児島県奄美市役所前
C　鹿児島市中央公民館前

A 49　正解 A

ムカデがデザインされた旗を使う理由としては、海を荒
らす竜がムカデが嫌いだから、ムカデは海の魔物を倒す
からなどいろいろな説がある。

A 50　正解 A

約1700人が住む沖縄県の与那国島は、一般の人が旅行
で行くことができる島。那覇と石垣からは飛行機、石垣
からはフェリーの定期便がある。

A 51　正解 C

国道58号線の起点は鹿児島市の中央公民館前。種子島、
奄美大島、そして沖縄島とつながり、那覇市の明治橋
までの陸上だけでも255.5kmある国道。沖縄県内部分は、
もともと米軍が那覇軍港、普天間基地、嘉手納基地など
をつないで造ったHighway No.1。

Q52 南風原町の安里周當（あさと　しゅうとう）の業績
として知られているのは？

  A　ベルより先に電話を発明した
  B　ライト兄弟より早く空を飛んだ
  C　エジソンより先に電気を発明した

Q53 沖縄県には、人が住んでいる離島はいくつある？

  A　37
  B　47
  C　57

Q54 沖縄でお盆の最後の日に燃やす紙の束の意味は？

  A　夜道を照らす灯り
  B　御先祖様に出す手紙
  C　御先祖様があの世で使うお金

A 52　　正解 B

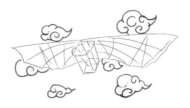

安里周當は、「飛び
安里」と呼ばれ、ラ
イト兄弟より116年
早く世界初の有人飛
行を成功させた。津
嘉山の仕立森（シタ
ティムイ・現在の津嘉山小学校）から津嘉山公民館付近
まで150〜200m近くを飛んだといわれている。南風原
町の役場には、翼の1/2スケールのレプリカが展示され
ている。津嘉山郵便局の風景印にも描かれている。四男
の「周祥」が「飛び安里」という説もある。

A 53　　正解 A

有人島は47だが、沖縄島と、沖縄島と橋等でつながっ
ている9島の合計10島は離島に数えないので37になる。

A 54　　正解 C

お盆の最後の日（ウークイ）に、御先祖様がお金に困ら
ないようにウチカビと呼ばれる紙を燃やしてあの世に届
ける。ウチカビはスーパーなどで年中購入可能。

Q55 　田芋（ターンム）の栽培はどこで行われる？

　　A　乾燥した高台の畑
　　B　湿地帯や水田
　　C　浅い海

Q56 　沖縄県宮古列島の池間島北方に位置する、広大なサンゴ礁群を何という？

　　A　八重干瀬
　　B　九重干瀬
　　C　十重干瀬

Q57 　なまはげより恐ろしいといわれることもある宮古島の伝統行事は？

　　A　パーントゥ
　　B　イエティ
　　C　バイコーン

A 55　**正解 B**

田芋は里芋の一種で、沖縄や奄美大島北部などで栽培される。沖縄では新鮮な田芋だけでなく冷凍物もスーパーで一年中売られている人気食材。

A 56　**正解 A**

宮古島の北方にある周囲約 25km、大小 100 以上の環礁からなる八重干瀬（やびじ）。普段は海面下にあるが、春から夏の大潮の時季には海面に現れ、その広い珊瑚礁群は「幻の大陸」と呼ばれる。

A 57　**正解 A**

パーントゥ

沖縄県宮古島で行われる悪霊払いの伝統行事。1993 年に重要無形民俗文化財に指定。平良島尻と上野野原の 2 地区で行われている。2018 年にはユネスコの無形文化遺産にも登録されている。

Q58 1959年に大きな台風被害があった宮古島に対して、川崎市民から寄せられた義援金への返礼として贈られ、1970年にJR川崎駅前バスターミナルに設置されたものは？

A　シーサー像
B　石敢當
C　ガジュマルの木

Q59 沖縄で最も長い川は？

A　比謝川
B　浦内川
C　安波川

Q60 石垣島にある、沖縄県で一番の自然物は？

A　一番高い山
B　一番長い川
C　一番広い湖

A 58　正解 B

川崎市には紡績工場で働く
沖縄出身者が多かったこと
などから 1924 年に沖縄県
人会が創立されている。沖
縄諸島が大きな台風に見舞
われ、宮古島では蘇鉄地獄
といわれるほど大きな被害
が出たことが報じられた。
1960 年、川崎市議会は超

おみやげとして
売っているのも
あるそうです

鹿児島でも
よく見ます。

党派で支援を決議し募金活動を行い、約 360 万円（当時
の約 1 万ドル）を集め宮古島に贈った。碑は宮古島特産
の名石トラバーチンに「石敢當（いしがんとう）」を刻
んだ立派なもの。

A 59　正解 B

沖縄の川の大部分は長さが 5 〜 10 km ほどで、勾配が急
で滝が多いのが特徴。

A 60　正解 A

於茂登岳（おもとだけ）は沖縄県で一番高い山で、標高
526 m。地元ではウムトゥダキともいう。2 番目は沖縄
島にある与那覇岳で 503 m、3 番目は石垣島の桴海於茂
登岳（ふかいおもとだけ）で 477 m。

Q61　石垣市にはいくつの有人島がある？

 A 1
 B 5
 C 9

Q62　沖縄戦中の 1944 年 8 月 21 日に 1788 名を乗せて長
崎を目指した学童疎開船対馬丸が、翌 22 日にアメ
リカ海軍潜水艦ボーフィン号の魚雷によって沈めら
れ、784 人の児童を含む約 1500 人の犠牲者を出した。
対馬丸が沈没した場所は鹿児島県のどこ？

 A 奄美大島の北 20 km 付近
 B 喜界島の東 5 km 付近
 C 悪石島の北西 10 km 付近

Q63　沖縄のお盆は旧盆で行われるところが多い。旧盆と
いうのは一般的には旧暦のいつのこと？

 A 6 月 13 日から 15 日
 B 7 月 13 日から 15 日
 C 8 月 13 日から 15 日

A 61　正解 **A**

石垣市の有人島は石垣島だけ。竹富島や小浜島は竹富町
の島。無人島は 13 ある。

A 62　正解 **C**

60 年目にあたる 2004 年 8 月 22 日に那覇市に対馬丸記
念館が建てられ、「子どもと戦争」に焦点をあてた展示
が行われている。子どもの視点から戦争と平和を考える
記念館として多くの人が訪れている。対馬丸慰霊碑が、
那覇市若狭と、悪石島、多くの犠牲者が流れ着いた奄美
大島宇検村船越海岸前に建っている。

A 63　正解 **B**

旧暦は毎年移動するため、その年の旧盆がいつになるか
は重要な情報になる。

Q64 沖縄の旧盆では初日を何という？

A　ウンケー
B　ウチカビ
C　ウークイ

Q65 丁字路や三叉路のつきあたりに石敢當を掲げるのは
何のため？

A　こどもたちが迷子にならないための目印
B　幸運の神様がやってくることを願って
C　魔物が入ってくるのを止めるため

Q66 97歳を迎えたお祝いにオープンカーなどで地域を
練り歩くカジマヤー。カジマヤーにはどんな意味が
ある？

A　火山の爆発
B　風車
C　台風

A 64 　正解 A

ウンケーは、祖先や亡くなった家族などをお迎えする日。
仏壇には花や果物をお供えし、夕方には門や玄関で線香
をたいてお迎えする。ウークイは最終日のこと。

A 65 　正解 C

元来は福建省南部を発祥とする中国の風習。直進する性
質がある魔物「マジムン」が、丁字路や三叉路などで直
進して家に入ってくるのを防ぐために掲げる。魔物は石
敢當に当たると砕け散る。

A 66 　正解 B

お祝いされる本人がカ
ジマヤー（風車）を持
つ。12年ごとに回っ
てくる生まれ年を祝う
のがトゥシビー（年日）
で13歳、25歳……と
祝い、61歳の還暦と
97歳のカジマヤーは
特に盛大に祝う。

Q67 1872 年から始まった琉球処分で明治政府が行った
ことは？

　　A　琉球王国を強制的に日本へ統合した
　　B　琉球王国に多額の税金を課した
　　C　琉球王国の王を選挙で決めた

Q68 第二次世界大戦で沖縄戦が公式に終結したのは
1945 年のいつ？

　　A　8 月 14 日
　　B　9 月 2 日
　　C　9 月 7 日

Q69 玉城ウシさんが 1963 年に琉球政府を相手に、徴収
された税金の還付を求める訴訟を起こした裁判は？

　　A　マグロ裁判
　　B　カジキマグロ裁判
　　C　サンマ裁判

A 67 　　**正解 A**

1872年に琉球藩が設置され、1879年には松田道之が軍隊と警察を率いて来島。琉球藩を廃止し沖縄県を設置することを通知した。

A 68 　　**正解 C**

日本政府がポツダム宣言を受諾したのが1945年8月14日。日本側と連合国側がミズーリ艦上で降伏文書に調印したのが9月2日。琉球列島の日本軍が米国に対して降伏文書を現在の嘉手納基地内で調印したのが9月7日。

A 69 　　**正解 C**

物品税法で課税品目外とされていたサンマに課税されていたことに憤った玉城さんが裁判を起こし、一審、二審で勝利した。しかし、裁判はアメリカ民政府裁判所へ移送された。サンマ裁判は2021年、「サンマデモクラシー」の題で映画化された。

Q70　1969 年 7 月に、沖縄に毒ガス（マスタードガス、サリン、VX ガス）が持ち込まれていることがわかったきっかけは？

A　アメリカのマスコミのスクープ
B　日本の政治家の告発
C　製造会社の記者会見

Q71　伊是名島の説明で正しいのは？

A　ハブは年に数匹しか出ない
B　伊是名村は国頭郡（くにがみぐん）に属している
C　琉球王国の尚円王が生まれた島といわれている

Q72　「万国津梁（ばんこくしんりょう）の鐘」の「万国津梁」とは？

A　世界を結ぶ架け橋
B　日本で一番美しい海
C　どこにいても聞こえる鐘の音

A 70　正解 A

1969 年 7 月 18 日に米軍知花弾薬庫で起きた神経ガス漏出事故を、アメリカのウォール・ストリート・ジャーナルがスクープし、翌日に沖縄県の新聞が報道した。

A 71　正解 C

伊是名村は本島南部島尻郡に属する島で、ハブはいない。

A 72　正解 A

正式には旧首里城正殿鐘。1458 年に尚泰久（しょうたいきゅう）王の命で鋳造され、首里城正殿にかけられた。1978 年に国指定の重要文化財に指定され、現在は県立博物館・美術館に保管されている。鐘の表には、禅僧渓隠安潜（けいいん あんせん）による、東南アジア諸国・日本・朝鮮・中国との中継貿易で栄えた琉球の気概を示す内容の漢文が刻まれている。

Q73　日本最南端の有人島は？

  A 与那国島
  B 波照間島
  C 南大東島

Q74　アブシバレーでは害虫をバショウの葉などに包んで海に流すが、次のどの条件の時がいいとされている？

小さな虫から大きな虫まで

どの船にする？

  A 満潮に向かうとき
  B 干潮に向かうとき
  C 満月の夜

Q75　二十四節気の 5 番目にあたる清明（シーミー）に行われる行事の説明で正しいのは？

  A 祖先供養のまつり
  B 豊年を祝うまつり
  C 安全航行を願うまつり

82

A73　正解 B

与那国島は日本最西端
の有人島。八重山郡竹富
町に属する波照間島が
日本最南端の有人島で、
高那崎に日本最南端の
碑があり、隣には日本最
南端平和の碑がある。

A74　正解 B

アブシバレーは、旧暦の4月頃に行われる「畦（うね）
払い」と書く行事。虫が戻ってこないように、干潮に向
かうときに行うのがよいとされている。

A75　正解 A

沖縄の年中行事で重要
なものの一つ。家族
や親戚でお墓参りをし
て、墓前でクワッチー
（ご馳走）を食べ楽し
く過ごす。

.... おせち料理ではない

Q76 沖縄戦が終わった時に残された不発弾はどれぐらい
とされている？

A　2千トン
B　5千トン
C　1万トン

Q77 ジュールクニチー（16日）と呼ばれるのは？

A　生まれ変わる日
B　あの世の正月
C　魔物を見送る日

Q78 沖縄の御願（ウガン）で、神様を拝む時に供えるも
のと、御先祖様を拝む時に供えるものの組み合わせ
で正しいのは？

A　シルカビとウチカビ
B　ソトカビとウチカビ
C　ウチカビとアオカビ

A 76　正解 C

年々処理が行われているが 2022 年時点で約 1900 トンが
残っていると推定されている。不発弾処理を重量で見る
と沖縄県は全国の約 58% を占めている（2020 年度防衛
省資料）。1974 年 3 月 2 日に那覇市小禄の幼稚園隣接地
で起きた不発弾爆発事故で、園児を含む 4 人が死亡する
など大きな被害が出たことがきっかけになり沖縄不発
弾等対策協議会が設置され本格的な不発弾処理が始まっ
た。国は沖縄県に対し不発弾等処理交付金を交付し不発
弾処理を進めている。

A 77　正解 B

沖縄では「あの世」のことを「後生（グソー）」といい、
ジュールクニチーは「グソーの正月」、つまりあの世に
いる御先祖様の正月。宮古島、久米島、八重山諸島など
では盛大に祝う。

A 78　正解 A

シルカビは白い紙の半紙で作る神様へのお金、ウチカビ
は藁を原料とした黄色い紙に小判のような丸い刻印が打
たれている御先祖さまのためのお金。どちらも神様や御
先祖様の前で燃やし、煙にしてあの世や天界へ送る。シ
ルカビは、ヒラウコーと呼ばれる線香に火を付けずに拝
する時は、ヒラウコーの下に敷くこともある。

Q79　14世紀の琉球は北山、中山、南山の三大勢力が支配していた。北部地域を支配していた北山の拠点となっていたのは？

A　今帰仁城
B　名護城
C　座喜味城

Q80　2021年7月26日、ユネスコ・国連教育科学文化機関の世界遺産委員会にて、世界自然遺産として登録されることが決まったのは？

A　屋久島、沖縄島北部及び西表島
B　奄美大島、沖永良部島、沖縄島北部及び西表島
C　奄美大島、徳之島、沖縄島北部及び西表島

Q81　沖縄でかつて言われていたフレーズ「甲子園優勝が先か、大臣誕生が先か」。実際に先になったのは？

A　甲子園優勝
B　大臣誕生
C　同じ年

A 79　　**正解 A**

北山王は今帰仁城を拠点に中国と貿易をしていたが、
1416年（1422年説もある）に中山の尚巴志（しょうはし）
に滅ぼされた。1609年に薩摩軍による琉球侵攻に遭い、
城は炎上、以後は拝所として大切にされている。

A 80　　**正解 C**

沖縄島北部も西表島も多種多様な生物が生息する地域
で、世界自然遺産登録を歓迎する声は多い。しかし、外
来種やロードキルの多発など自然を守るための課題は多
い。また、沖縄島北部には、米軍の北部訓練場やヘリコ
プター離着陸帯（ヘリパッド）があり、自然環境を守る
上での課題となっている。

A 81　　**正解 B**

初の大臣誕生は1991年で、宮沢内閣で第26代沖縄開発
庁長官に就任した自民党の伊江朝雄氏。甲子園で沖縄尚
学が優勝したのは1999年、第71回選抜大会。

Q 82 第二次世界大戦後、海外や県外に在住していた沖縄県人が強制的に沖縄に送還された。沖縄で引揚者の受け入れ先となったインヌミ収容所はどこにあった？

　　A　高原（現在の沖縄市）
　　B　久場崎（現在の中城村）
　　C　泊（現在の那覇市）

Q 83 アメリカ統治下の米軍基地で地元労働者のストライキに対して米軍が出したオフ・リミッツとは？

　　A　米兵の外出禁止令
　　B　米兵の日本製品購入禁止令
　　C　米兵の日本語使用禁止令

Q 84 那覇市、浦添市、宜野湾市をつなぎ、主要幹線道路の国道 58 号と国道 330 号の間に位置する路線を、通称で何という？

　　A　ベースライン
　　B　オイルライン
　　C　パイプライン

A 82   正解 A

正式名は「キャステロ海外引揚者収容所」で美里村高原
周辺にあった。収容所は久場崎にもあった。引揚者約
20万人は、どちらかの収容所を経て自分の故郷へ帰っ
た。1949年に閉所された。

A 83   正解 A

米軍がオフ・リミッツ（米兵の基地外出禁止令）を出すと、
地元で飲食店を経営する人々は米兵が来なくなるために
困り、ストライキをしている労働者との対立がおきた。

A 84   正解 C

戦後、那覇軍港から米軍嘉手納基地まで、米軍が使う燃
料を輸送するオイル管を埋設するために整備された道。

Q85 1968 年に行われた第 1 回行政主席通常選挙で勝利
した、革新共闘の屋良朝苗（やら　ちょうびょう）
が主張したのは？

A　本土との一体化政策
B　沖縄の即時・無条件・全面返還
C　日本復帰反対

Q86 2001 年前半の NHK 朝ドラ「ちゅらさん」の舞台
として知られる島は？

A　黒島
B　竹富島
C　小浜島

Q87 旧暦 8 月 15 日を基準日として、石垣島の名蔵御嶽
で行われる台湾系の人たちの祭り、「土地公祭」で
捧げられる動物は？

A　牛
B　豚
C　鶏

A 85 　正解 B

沖縄住民の民政機構である琉球政府の長が行政主席。第
3代までは米国民政府の任命、第四代は立法院議員によ
る間接選挙。最後の行政主席となる第5代が初めて通常
選挙で選ばれた。屋良朝苗は日本復帰を実現し、初代県
知事としても2期務めた。台北第一師範学校で教師をし
ていた時の教え子に、初代沖縄開発庁長官山中貞則がい
る。

A 86 　正解 C

沖縄ブームのきっかけの一つといわれるのが「ちゅらさ
ん」人気。ヒロイン・古波蔵恵里を演じたのは朝ドラヒ
ロイン初の沖縄出身俳優・国仲涼子。平良とみ、ガレッ
ジセール、BEGINなども出演した。

A 87 　正解 B

土地公祭は土地の守護神「福徳正神」を祀る行事で、「豚
祭り」と呼ばれている。豊作、商売繁盛、幸福と無病息
災を祈願する。

Q88　占領下の 1958 年 9 月 16 日に、通貨単位は何から何に変わった？

　　A　B円からフラン
　　B　ドルから円
　　C　B円からドル

Q89　2000 年 12 月 2 日に「琉球王国のグスク及び関連遺産群」として、5 つのグスク（首里城跡、中城城跡、座喜味城跡、勝連城跡、今帰仁城跡）と、その関連 4 遺物（園比屋武御嶽石門、玉陵、識名園、斎場御嶽）が世界遺産に登録された。このなかで一番北にあるのは？

　　A　座喜味城跡
　　B　斎場御嶽
　　C　今帰仁城跡

Q90　沖縄県は、15 歳未満の人口が占める割合が日本一である。その割合は？

　　A　9%
　　B　12%
　　C　17%

A 88　　正解 C

沖縄は 27 年間で法
定通貨の変更を 7 回
経験している。1958
年の通貨切り替えか
ら日本復帰までは米
国ドルが使われた。
1972 年 5 月 15 日 の

日本復帰の日に米国ドルから日本円への通貨交換が行わ
れた。B 円はアメリカ発行の B 型軍票のこと。

A 89　　正解 C

今帰仁城は、沖縄島北部本部半島の北東部今帰仁村に
あった。14 世紀、琉球王国成立前の北山国王である北
山王の居城。カンヒザクラの名所でもある。首里城は
2019 年 10 月 31 日の火災で正殿など 9 施設を焼失したが、
再建を目指している。

A 90　　正解 C

全国平均は 12.1％。15 ～ 64 歳の人口は 60.9％で全国 5 位。
65 歳以上は 22.2％で全国 47 位。（「100 の指標からみた
沖縄県のすがた」令和 4 年 3 月版）

Q91　琉球王国は約何年間続いた？

A　250年
B　350年
C　450年

Q92　沖縄県で一番高い山は石垣島にある於茂登岳で標高
526m。全国の都道府県をそれぞれ最も高い山の標
高で並べたとき、沖縄県は何番目？

A　45位
B　46位
C　47位

Q93　沖縄島には1㎢あたり1071人住んでいる（人口密
度）が、有人離島の人口密度は何人？

A　129人
B　208人
C　325人

A 91　**正解 C**

琉球王国は、約 570 年前（1429 年）に成立、約 140 年前（1879 年）までの 450 年間存在した王制の国。

A 92　**正解 B**

45 位は葛城山（959 m）のある大阪府、47 位は愛宕山（408 m）のある千葉県。

A 93　**正解 A**

沖縄県全体の人口密度は、約 643 人。人口密度の一番高い市町村は那覇市で 7617 人で、最も低い竹富町の 634.8 倍。（令和 3 年 10 月 1 日現在住民基本台帳、沖縄県 H P「離島の概況について」「市町村別人口密度」）

Q94 沖縄を代表する繁華街・国際通りは敗戦後復興をとげたことから「奇跡の1マイル」と呼ばれているが、1マイルとは？

A　約 0.8km
B　約 1.6km
C　約 2.4km

Q95 久米島の堂之比屋（ドーノヒャー）が、日の出と日の入りを観測して暦を刻んだ石は何と呼ばれる？

A　太陽石
B　時計石
C　方位石

Q96 波照間島に日本で初めて導入された風力発電用の風車は？

A　可倒式風車
B　地下収納式風車
C　格納庫収納型風車

A 94 正解 B

県庁北口交差点（パレットくもじ前交差点）から安里三叉路までが国際通り。1マイル（mile）は、より正確には 1.609344 kmで、現在では陸上競技の距離の計測などに使われている単位。

A 95 正解 A

久米島の比屋定（ひやじょう）にある巨大な安山岩が太陽石（ウティダイシ）と呼ばれている。太陽の向きを記録した線や文字があったが、現在は風化が進んで読み取れなくなっている。

A 96 正解 A

沖縄電力は、沖縄島を含む 37 の有人離島に電力を供給している。必要とするすべての人に、同じ品質、同じ料金で電気を送り届けるのが方針。台風が多い沖縄では、風車の羽根 2 枚を地上に倒して強風を避けることができる可倒式風車が役に立ち、波照間島のほか、南大東島に 2 基、粟国島に 1 基、多良間島に 1 基が設置されている（2015 年現在）。

Q97 国会議事堂中央広間に使われている沖縄産の石は？

A　琉球石灰岩
B　琉球玄武岩
C　琉球花崗岩

Q98 9 月から 12 月にピンク色の花を咲かせる、ブラジル、アルゼンチン原産の花木は？

A　キンコウボク
B　タイワンモクゲンジ
C　トックリキワタ

Q99 独特の香りがあるショウガ科の多年草草本で、葉をムーチー（餅）を包むのに利用したり、薬や石鹼に使ったりする植物は？

A　ハイビスカス
B　ガジュマル
C　ゲットウ

A 97　正解 A

国会議事堂内には国産の様々な石材が使用されていて、中央広間の柱と壁には、沖縄県産の琉球石灰岩が使われている。海底から採掘された琉球石灰岩ということもあり、「巻貝」「魚の尾」などの化石を見ることができる。

A 98　正解 C

1964 年、琉球政府農林局に勤務していた天野鉄夫が南米ボリビアから持ち帰った種から育てたのがトックリキワタ。原木はゆいレール「おもろまち駅」近くに移植され現存する。

A 99　正解 C

沖縄県ではよく見られる植物で、石鹸、消臭スプレー、アイスクリームの香りづけ、紙の素材などに使われる。漢字で月桃と書くのは蕾が桃に似ているためで、台湾の表記に由来する。葉脈に黄色い縞状の斑が入るキフゲットウは園芸品種。

ゲットウ

Q100　リュウキュウカンヒザクラは沖縄島ではどんな順番で花が咲く？

A　北から南
B　西から東
C　南から北

Q101　南十字星の説明で正しいのは？

A　沖縄県の名護市以南で見ることができる
B　南十字星は2つの星で構成される星座の名前
C　オーストラリアの国旗に描かれている

Q102　マングローブは汽水域に生えている植物の総称。汽水域とは？

A　塩分が海水より濃い場所
B　淡水と海水が混じり合う場所
C　水温が30度より下がらない淡水のある場所

A100　正解 A

ヒカンザクラ（緋寒桜）、ヒザクラ（緋桜）、タイワンザ
クラ（台湾桜）とも呼ばれる。沖縄島では、北部の八重
岳（やえだけ）頂上付近で1月中旬ごろに咲きはじめる。
寒さが増していくと桜前線も南下し、南部の那覇市など
では1月下旬から2月上旬ごろに開花する。

A101　正解 C

南十字星は88星座のなかで最小の星座で4つの星から
できている。沖縄県では、八重山諸島で春を中心にした
数カ月間見ることができる。オーストラリア、サモア、
ソロモン諸島、パプアニューギニア、ニュージーランド
の国旗に描かれている。

A102　正解 B

淡水は真水のことで、おおむね塩分濃度0.05％以下。海
水は、塩分濃度が約3.5％。汽水域は、淡水と海水が混
ざり合う場所で、塩分濃度は淡水と海水の間になる。

Q103 初心者でも野鳥を観察しやすい探鳥地として知られ
ている豊見城市にある池は？

    A　豊見城池
    B　豊崎池
    C　三角池

Q104 宮古島の地下ダムの効果として間違っているのはど
れ？

    A　地下水に海水が入りにくい
    B　地表の水量が増える
    C　地下水量が増える

Q105 県の天然記念物に指定されているクメジマボタルの
特色は？

    A　幼虫期を水中で過ごす
    B　年末から年始のころに飛び回る
    C　羽化後の 2 カ月程度生きている

A103　正解 C

豊見城市与根にある三角池（第一遊水池）は人工池。ヨシが育つ池では、カワセミ、アオサギ、バンなどの留鳥、カワウ、セイタカシギ、クロツラヘラサギなどの渡り鳥と出合える。

A104　正解 B

宮古島には福里ダムと砂川ダムという２つの地下ダムがある。宮古島には川がなく、琉球石灰岩の地質は空隙が多く保水に向かない。このため、水を通さない地層の上にコンクリートで止水壁を造り、地下水をせき止める地下ダムが造られた。止水壁を地表まで造らず、ある程度の高さで止めているから地表が湛水しない。

A105　正解 A

クメジマボタルは、1993年に久米島白瀬川で大和田守と木村正明の２人が発見した。幼虫期を水中で過ごすホタルは珍しく、日本産ではゲンジボタル、ヘイケボタルを含む３種のみ。飛び回るのは４月から５月上旬。羽化の後は雌が10日ほど、雄は6日前後の命といわれている。

Q106　沖縄の三大名花と言えば、サンダンカ、デイゴと何？

  A　オオゴチョウ
  B　サガリバナ
  C　マツリカ（ジャスミン）

Q107　1972 年に制定された沖縄県の県魚は？

  A　ホウライヒメジ
  B　タカサゴ
  C　ハマフエフキ

Q108　沖縄の三大高級魚と言えば、「アカジンミーバイ」「アカマチ」と何？

  A　マクブ
  B　グルクン
  C　イシアーファ

A106 正解 A

オオゴチョウは、庭園や公園に昔から植えられている、樹皮にトゲがある低木で、夏に蝶型の美しい花を咲かせる。花の色は赤、オレンジ、黄色、ピンクなど。沖縄を舞台にしたテレビ番組によく登場するハイビスカスは、ブッソウゲとも呼ばれる花。アカバナーと呼ばれるように赤い花が一般的だが、最近は白、黄色、オレンジなどいろいろな色が見られる。

A107 正解 B

県木がデイゴ、県鳥が国の天然記念物でもあるノグチゲラ、そして県魚がタカサゴ。タカサゴは沖縄県ではグルクンと呼ばれ、食用になる。ホウライヒメジとハマフエフキはそれぞれ、オジサン、タマンと呼ばれる。

A108 正解 A

ハタの仲間「アカジンミーバイ」（和名／スジアラ）、フエダイの仲間「アカマチ」（和名／ハマダイ）、ベラの仲間「マクブ」（和名／シロクラベラ）が沖縄の三大高級魚。

Q109　通常、泡盛を使わないで作る食品は？

 A　豆腐よう
 B　コーレーグース
 C　サーターアンダーギー

Q110　沖縄諸島や奄美諸島の固有種で絶滅危惧種とされているが、宮崎県日南市油津、鹿児島県指宿市、大隅諸島屋久島に定着し国内外来種として問題になっているのは？

 A　イシカワガエル
 B　グリーンノアール
 C　オキナワキノボリトカゲ

Q111　マンゴーの生産高、国内上位3県で正しいのは？

 A　沖縄県　熊本県　高知県
 B　宮崎県　沖縄県　高知県
 C　沖縄県　宮崎県　鹿児島県

A109　正解 C

豆腐ようは、島豆腐を米麹・紅麹・泡盛を使って発酵・熟成させた発酵食品。コーレーグースは、島とうがらしを泡盛に漬け込んだ調味料。サーターアンダーギーの材料は主に小麦粉・鶏卵・砂糖で泡盛は使わない。

A110　正解 C

環境省レッドリストでは、絶滅危惧Ⅱ類（VU）。ペット用の捕獲、生息地の破壊などから減少傾向にある。外来生物法が国内移動の外来生物に対応していないことから駆除の対象となりにくい。

A111　正解 C

沖縄県が2206トンで全国の54％、2位が宮崎県で約30％、3位が鹿児島県で約12％。（2017年　農林水産省統計）

Q112 パイナップル沖縄県内生産量1位を誇る東村で、農業研究センターが開発した良食味品種と言えば？

　A　ゴールドバレル
　B　農林8号
　C　スウィーティオ

Q113 星の形をしている星砂の正体は何？

　A　小さな生物の殻
　B　隕石
　C　魚の骨

Q114 沖縄から北海道までの飛行機の飛行時間が逆航路より短いのは、主に何と関係がある？

　A　上空の風の向き
　B　太陽の動き方
　C　重力

A112 正解 A

パイナップルは国内消費量の9割以上を輸入に頼る果物だが、ゴールドバレルの栽培を進めた結果、栽培農家も生産量も増え、ブランド化が進んでいる。東村道の駅サンライズひがしで直売されている。

A113 正解 A

星の砂は、浅い海で生きる原生生物の有孔虫「カルカリナ」などの殻。鹿児島県の与論島、沖縄の西表島や竹富島が星砂のある島として有名。

A114 正解 A

日本の上空では、偏西風と呼ばれる強い風が西から東へ吹いているので、沖縄から北海道に向かう飛行機には追い風となって早く着く。

Q115 次のうち火の鳥と呼ばれることのある鳥は?

A ルリカケス
B アカガシラサギ
C アカショウビン

Q116 ジンベエザメの説明で正しいのは?

A 発見した人の名前から命名された
B 最大の動物である
C プランクトンや小魚など主に小さな物を食べる

Q117 石垣島の人々から「テンブンヤーノウシュマイ」と親しまれていた岩崎卓爾(いわさき たくじ)が活躍した分野は?

A 気象観測
B 考古学
C マンゴー栽培

A115　正解 C

方言ではクカル。くちば
しや足が赤く、全体が
茶色がかった赤色をし
ていることから火の鳥
と呼ばれる。奄美諸島、
沖縄諸島、トカラ諸島
には亜種リュウキュウ
アカショウビンが生息
する。

A116　正解 C

方言ではミズサバ。体の模様が着物の甚兵衛（甚平）に
似ていることから命名された。クジラ類の次に大きい動
物。10 m を超す大きな体をしているが、食べるものは
小さい。

A117　正解 A

岩崎卓爾は石垣島測候所 2 代目所長。宮城県生まれ。29
歳から 68 歳で亡くなるまで八重山に住み、気象観測を
中心に仕事をした。石垣島地方気象台によると、石垣島
の人々から「テンブンヤー」（天文屋）の「ウシュマイ」
（御主前、じいさん）と親しまれた。

Q118　大宜味村、竹富島がそれぞれ自治体のシンボルにしているチョウは？

A　オオゴマダラ
B　イシガケチョウ
C　ツマベニチョウ

Q119　実在する鳥は？

A　リュウキュウキジバト
B　リュウキュウガラス
C　リュウキュウシギ

Q120　波打つように広がる「板根」で知られるサキシマスオウノキ。かつて板根から作られていたのは？

A　テーブル
B　まな板
C　船の舵

A118　正解 C

方言ではハーベールー。大型のチョウで、名前が示すように前翅の先端がオレンジ色に近い紅色をしている。幼虫はギョボクの葉を食べ、成虫はハイビスカスやブーゲンビリアなどの花の蜜を吸う。日本では九州南部から沖縄にかけて生息し、一年中観察できる。英語名はGreat Orange Tip。

A119　正解 A

リュウキュウキジバトはキジバトの亜種で、奄美諸島、琉球諸島に分布する。リュウキュウガラスはガラス工芸品の呼び名としてはあるが、その名を冠する鳥はいない。奄美や沖縄に生息するアマミヤマシギはいるがリュウキュウシギはいない。

A120　正解 C

板根をそのまま切り出し、船の舵として用いていた。平成12年度に「森の巨人たち100選」（林野庁）に選定された西表島仲間川上流にあるサキシマスオウノキは樹高18m、板根の高さ最高3.1mで日本一の巨木。

Q121 沖縄の民家でよく見ら
れる大きな円柱状の水
タンクは、水不足に備
えてのもの。では、水
不足の理由として間
違っているのは？

A　降水量が全国最下位だから
B　土地の保水力が少なく水を備蓄することが難し
　　いから
C　川が短く勾配が急なため、雨水がすぐに海に流
　　れてしまうから

Q122 ツツジの仲間で自生していないのは？

A　ケラマツツジ
B　サキシマツツジ
C　リュウキュウツツジ

Q123 沖縄県希少野生動植物種に指定されているカタツム
リでないのはどれ？

A　ヤンバルヤマタカマイマイ
B　シラユキヤマタカマイマイ
C　アマノヤマタカマイマイ

A121) 正解 A

那覇市の年降水量は約 2000 mm で日本国内では多い方に入る。近年では断水するほどの水不足になることは減多にないので、新しい建物には水タンクを付けない家も増えている。

A122) 正解 C

リュウキュウツツジは園芸品種として知られるが自生していない。岸躑躅(キシツツジ)と黐躑躅(モチツツジ)の交雑種という説が有力。リュウキュウと名前が付いているが沖縄との関係ははっきりしていない。

A123) 正解 C

ヤンバルヤマタカマイマイ（恩納村以北）、シラユキヤマタカマイマイ（恩納村以北）とオキナワヤマタカマイマイ（沖縄島と津堅島、浜比嘉島）、オモロヤマタカマイマイ（久米島）の4種類が指定されている。県の希少野生動植物種には指定されていないが、アマノヤマタカマイマイも環境省レッドリスト絶滅危惧Ⅰ類に指定される希少なカタツムリ。

Q124 ヤンバルクイナがロードキルで死ぬことが多い時期、時間帯は？

    A　1 月から 3 月のお昼過ぎ
    B　5 月から 7 月の朝と夕方
    C　9 月から 11 月の夜

Q125 沖縄県希少野生動植物種に指定されているジュゴンの食べ物は？

    A　小魚や貝
    B　海草
    C　プランクトン

Q126 シカの仲間で、国の天然記念物に指定され現在も生存しているのは？

    A　リュウキュウムカシキョン
    B　リュウキュウジカ
    C　ケラマジカ

A124　正解 B

山原水鶏…
なのに走る!!

車にひかれる、
ぶつかるという
交通事故だけで
なく、道路脇の排水溝に落ちて溺れる、這い上がれず死
ぬなど道路に関係することで野生生物が死亡することを
ロードキルという。ヤンバルクイナの繁殖期である5月
から7月は子育てに集中するため、親子でエサを探して
道路に飛び出すなどして事故が増える。

A125　正解 B

海草は、花を咲かせて種子をつくる種子植物。沖縄県に
はナンカイコアマモやイトクズモなど18種類の生息が
確認されている。海草を方言でザングサというのは、ジュ
ゴン（方言でザン）が食べる草という意味。(「ジュゴン
のはなし」沖縄県文化環境部自然保護課2008年3月 第
2版)

A126　正解 C

方言ではコーナシ、コーヌシシ。リュウキュウムカシキョ
ンとリュウキュウジカは、いずれも第四紀更新世（約
260万年前から1.2万年前）の琉球列島を代表する動物
だが、既に絶滅している。沖縄島、久米島、伊計島、伊
江島で化石が発見されている。ケラマジカは慶良間諸島
に分布するが、九州からの国内移入種である可能性も指
摘されている。

Q127　宮古島で石垣島や西表島原産のヤエヤマセマルハコガメが発見された場合、どう扱われている？

A　宮古島で保護している

B　石垣島と西表島に返している

C　全国の動物園に送っている

Q128　国指定天然記念物で日本最大のトカゲ類とは？

A　キノボリトカゲ

B　キシノウエトカゲ

C　キノナカトカゲ

Q129　カンムリワシの説明で正しいのは？

A　日本で繁殖するワシのなかで最大

B　石垣島と西表島に生息している

C　春から夏の間は道路脇でよく見かける

A127 正解 A

ヤエヤマセマルハコガメは石垣島や西表島に自然分布し、1972年に国の天然記念物に指定された。宮古島は自然分布域外であるが、人為的な移入によって定着し、宮古島の希少種や固有種を捕食している可能性が指摘されている。宮古島で発見された個体はかつては沖縄島の動物園が引き取っていたが、数が多くなったため、現在は宮古島で保護している。

A128 正解 B

方言ではバカギザ。地域を定めず国の天然記念物に指定されている。キシノウエトカゲは、日本産トカゲ類では最大で、体長は40cmに達するものもある。宮古島、石垣島、西表島、与那国島に生息する。

A129 正解 B

全長約55cm。石垣島と西表島に総数約100羽が生息する。10月から3月の間は道路脇でよく見かける。方言ではマヤダン。

Q130 キク科で多年生植物のアメリカハマグルマは、1970年代に何の目的で沖縄に持ち込まれた？

A　緑化用
B　飼料用
C　研究用

Q131 与那国島にあるアヤミハビル館は何の展示館？

A　オオゴマダラ
B　ヨナグニゴマフカミキリ
C　ヨナグニサン

Q132 沖縄県で生息する、日本一大きなどんぐりができる木は？

A　ガジュマル
B　オキナワウラジロガシ
C　ゲットウ

A130　正解 A

「世界の侵略的外来種ワースト100」に選出された南米原産の植物。環境省那覇自然環境事務所は、アメリカハマグルマは年間を通して成長するので、見つけたらていねいに根こそぎ取り除きビニール袋に入れて焼却するか、その場で乾燥させ枯死させてから運んで処理するよう呼びかけている。

A131　正解 C

アヤミハビルはヨナグニサンの方言名。ゴジラに出てくるモスラのモデルにもなったといわれている日本最大の蛾。日本最西端の与那国島で発見されたから「ヨナグニサン」。日本では与那国島、西表島、石垣島にのみ生息する。沖縄県指定天然記念物。

A132　正解 B

方言ではカシギ。日本に自生するブナ科のどんぐりでは最大の常緑高木。名前通り葉裏が白い。首里城の梁（はり）、守礼門の柱など建築用材に使われてきた。

Q133 防風林、防火林として利用され、本部町備瀬では並木が観光名所になっている樹木は？

A　クロトン
B　マタケ
C　フクギ

Q134 ディアマンテスの大ヒット曲「勝利の歌」は、もともと何のために作られた？

A　少年サッカーチームのための応援歌
B　ビールのコマーシャルソング
C　ボクシング選手の入場曲

Q135 鳩間島にある中森という山から見た景色や、収穫のことを歌った民謡で知られる八重山諸島の島は？

A　黒島
B　鳩間島
C　小浜島

(A133)　正解 C

フクギ科の常緑広葉樹。ピンポン球ぐらいの実がなる。
成熟した木は紅型（びんがた）で使う黄色の染料になる。

(A134)　正解 A

群馬県の「コスモス」という少年サッカーチームの応援
歌として作られた。南米から出稼ぎに来た家族の子ども
たちが、学校生活に馴染めなくて作ったサッカーチーム
「コスモス」のことを聞いたアルベルト城間さん（ディ
アマンテス）が作った曲。

(A135)　正解 B

沖縄民謡の代表曲の一つ「鳩間節」は軽快で華やかな踊
りが知られている。毎年5月に「鳩間島音楽祭」が催さ
れ多くの観客が訪れる。テレビドラマ「瑠璃の島」の舞台。

Q136 沖縄音楽で使う、3枚の板で構成される小型の打楽器「さんば」を漢字で書くと？

A 三板
B 三破
C 三歯

Q137 映画のタイトルとテーマ曲が異なるのは？

A 涙そうそう
B 恋しくて
C ナビィの恋

Q138 沖縄の民謡で使われる琉球音階はどれ？

A ド レ ミ ファ ソ ド
B ド ミ ファ ソ ラ ド
C ド ミ ファ ソ シ ド

A136　正解 A

三羽と書くことも
ある。2009年度に
沖縄県功労者とし
て表彰された沖縄
民謡の喜納昌永が、
中国の三板を基に
発明し、演奏技法
も開発した楽器。
カチャーシーに使
わ れ る。3月8日
は三板の日。

三板!!

A137　正解 C

映画「涙そうそう」の主題歌は夏川りみの歌う「涙そう
そう」、映画「恋しくて」の主題歌は BEGIN の歌う「恋
しくて」。映画「ナビィの恋」のテーマ曲はマイケル・
ナイマン作曲のピアノ曲「RAFUTI」。

A138　正解 C

日本の民謡や邦楽と同じ5音音階。八重山諸島のユンタ
のように「ドレミソラド」という音階もある。

Q139　沖縄の三線を演奏する時に一般的に使われるバチは何でできている？

A　水牛の角
B　竹
C　べっ甲

Q140　沖縄の伝統芸能の一つで本土の盆踊りにあたるものは？

A　アラフォー
B　エイサー
C　ヘイヘイホー

Q141　BEGIN が毎年恒例にしている野外コンサートは？

A　うたの日コンサート
B　島んちゅコンサート
C　あり乾杯コンサート

A139　正解 A

竹でつくられた細
く薄いバチで演奏
するのは奄美の三
線。先端がべっ甲
から作られたバチ
を使うのは青森の
津軽三味線。それ
ぞれ代替品もあ
る。

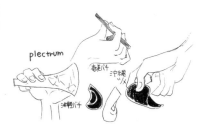

A140　正解 B

盆踊りの一種でお盆に現
世に戻ってくる祖先を送
迎するために踊るのがエ
イサー。旧盆には、地域
の道をエイサーを踊りな
がら練り歩く「道ジュ
ネー」が見られる。青年
団が中心で、地域の子ど
もたちも参加することが
ある。

A141　正解 A

比嘉栄昇（ひが えいしょう）、島袋優（しまぶくろ ま
さる）、上地等（うえち ひとし）、石垣市出身の幼なじ
み3人の音楽グループがBEGIN。慰霊の日（6月23日）
の翌日を「うたの日」として、2001年から開催されて
いるのが、「うたの日コンサート」。大勢の出演者と観客
でにぎわう。

Q142　海勢頭豊（うみせど ゆたか）が沖縄の復帰 10 周年
の年に発表した曲で、6 月 23 日を待たずに散った
と歌った花は？

A　月桃
B　ガジュマル
C　ハイビスカス

Q143　沖縄県八重山列島を代表する、男女のかけあいで歌
われる抒情歌は？

A　トゥバラーマ
B　デンサー節
C　ワイド節

Q144　豊漁と安全を祈る船こぎ競争ハーリー（糸満では
ハーレー）のハーリーとは？

A　急げ
B　龍
C　晴れ

A142   正解 A

うるま市平安座島（へんざじま）出身の海勢頭豊は、一家全滅した家族の屋敷跡に咲く「月桃」を見た経験から『月桃』を作った。美しい詩とメロディーが平和の大切さを多くの人に伝えてきた作品。

A143   正解 A

BEGIN の「島人ぬ宝」に登場するのが、トゥバラーマとデンサー節。愛や喜び、苦しみなどが歌われている。トゥバラーマを歌い合う「とぅばらーま大会」が石垣島で毎年開催されている。

A144   正解 B

那覇のハーリー船の先（舳先）には龍の頭、後ろ（船の艫）には龍の尾が飾られる。ハーリーは多くの漁村で旧暦5月4日に開催される。

Q145 三線の楽譜工工四（くんくんしー）が表しているのは？

A 音の高さ
B 左手で押さえる場所
C 音の高さと左手で押さえる場所と右手で弾く場所

Q146 カンカラ三線が作られるようになった理由は？

A 戦後、物資が少なく正規の三線が不足したから
B 映画「男はつらいよ」で架空の楽器として登場し有名になったから
C 小学校の先生が試しに作ってみたらいい音だったから

Q147 八重山地方に伝わるデンサー節の「デンサー」の意味は？

A 英雄
B 殿様
C 伝承

A145 正解 B

三線の弦を指で押さえるところが勘所（かんどころ）。勘所を漢字で書いて楽譜にしたものが工工四。屋嘉比朝寄（やかび ちょうき）が考案した。

A146 正解 A

空きカンと棒で作る手作り弦楽器がカンカラ三線。沖縄の人々にとって欠かせない三線が手に入らない時に、入手できる材料で作られたもの。今では観光土産としても人気。

A147 正解 C

歌詞はいろいろあるが、「親子の関係の良し悪しは、子どもの姿を見ればわかる」「人の文句を言いたくなった時は口を慎むことです」などの教訓が歌われている。

Q148　石垣島の旧盆独特の芸能と言えば？

A　エイサー
B　アンガマ
C　クーガーシ

Q149　粟国島（あぐにじま）でロケが行われた映画で、沖縄観光ブームの象徴的な作品といわれるのは？

A　男はつらいよ　ハイビスカスの花
B　ちゅらさん
C　ナビィの恋

Q150　1956 年に製作・公開された米軍占領後の沖縄が舞台のアメリカ映画「八月十五夜の茶屋」。米国軍人と通訳、芸者、村人が展開する喜劇だが、通訳を演じた俳優は？

A　高倉健
B　マーロン・ブランド
C　スティーブ・マックイーン

A148　正解 B

アンガマは、グソー（あの世）からの使者ウシュマイ（お
爺）とンミー（お婆）が、花子（ファーマー）と呼ばれ
る子孫を連れて現れ、各家々を訪問して唄や踊り、珍問
答などで祖先の霊を供養する行事。

A149　正解 C

「ナビィの恋」は 1999 年公開の中江裕司監督作品。沖縄
はもちろん日本中で大ヒットし、沖縄観光ブームの火付
け役になった。

A150　正解 B

ダニエル・マン監督作品。全編沖縄として描かれている
が沖縄ロケはなく、奈良、京都とアメリカでの撮影。ア
カデミー主演男優賞受賞後のマーロン・ブランドが通訳
のサキニを演じた。DVD が販売されているが、日本語
吹き替えや日本語字幕はない。

Q151 沖縄県うるま市の中高生が演じる、現代版組踊「肝高の阿麻和利」。肝高（きむたか）の意味は？

A 大胆
B お金持ち
C 心豊か

Q152 宮良村の役人、大城師番（おおしろ しばん）が18世紀初めに作詞作曲した民謡で、八重山の祝儀歌として知られているのは？

A 赤馬節
B 茶猪節
C 黒牛節

Q153 那覇の大綱挽の日に、国際通りで見ることができる地区のシンボルとは？

A 提灯山
B 大太鼓
C 旗頭

A151　正解 C

沖縄最古の歌謡集「おもろさうし」では、「心豊か」「気
高い」という意味で使われている。勝連城10代目城主
阿麻和利（あまわり）は、悪人とされる面もあるが、勝
連を発展させ、領民に慕われた王であったとも伝えられ
ている。2000年3月の初演から公演回数346回を数え、
観客動員は延べ19万人を達成し、高く評価されている
（2021年7月現在）

A152　正解 A

大城師番の赤馬は評判が高く、琉球王国の尚貞王（しょ
うていおう）に迎えられるが、暴れて言うことを聞かな
い。替え玉ではないかと疑った王は師番を呼び赤馬に乗
ることを命じたが、赤馬が見事に指示通りに動くので名
馬と讃え、師番は赤馬と村に帰ることができた。師番の
命が助かり褒美までもらったことが歌われている赤馬節
は祝儀歌として歌い継がれている。

A153　正解 C

旗頭は村のシンボルで、それぞ
れの地区の誇り。装飾の色や形、
旗に書かれた字には深い意味が
込められている。旗頭をひとり
で持ち上げ躍らせる旗持は名誉
ある役目。東7旗、西7旗の14
旗が練り歩く。

Q154 琉球建築の民家で、門と母屋の間に作られたヒンプンと呼ばれる仕切り塀の説明で間違っているのは？

A　魔除けの意味がある
B　火事対策の意味がある
C　目隠しの意味がある

Q155 琉球王国時代、宮古島や八重山諸島、久米島の 15 歳以上 50 歳未満の女性に納税の義務として課せられたのは？

A　米
B　塩
C　布

Q156 宮古島で生産される宮古上布は昔何と呼ばれていた？

A　八重山上布
B　台湾上布
C　薩摩上布

A154 正解 B

中国文化が沖縄に伝
わったものの一つ。
プライバシーを守る
役割や台風対策とし
ての意味もあったの

ではと考えられている。最近の住宅ではヒンプンはあま
り見られない。

A155 正解 C

納めた布は、王国内で使われたり、薩摩へ納めたりした。
役職により納めることを免除される者もいた。

A156 正解 C

江戸時代に薩摩上布といわれたものは、宮古上布や八重
山・石垣島産の八重山上布だったといわれている。宮古
上布は苧麻（ちょま）を手紡ぎにした上質の麻布。

Q157 夏によく着られる「かりゆしウェア」のかりゆしの意味は？

A　かわいい
B　すずしい
C　めでたい

Q158 東南アジアや中国から伝わり、現在は読谷・首里・与那国などで生産される、糸を浮かせて文様を織り出す技法は？

A　虹織
B　空織
C　花織

Q159 沖縄の赤瓦の材料として使われる、沖縄でとれる粘性の土を何という？

A　クチャ
B　ケチャ
C　ムチャ

A157 正解 C

かりゆしウェアと呼ぶためには、沖縄県産であること
と、沖縄らしい柄であることという条件を満たす必要が
ある。風通しがよくネクタイをせずに着用することから
クールビズの服としても人気がある。

A158 正解 C

藍染めの木綿地に幾何学的な小さな花の模様がちりばめ
られている。「読谷山花織（ゆんたんざはなうい）」を復
活させた與那嶺貞（よなみね さだ）は、1999年に国の
重要無形文化財保持者（人間国宝）に認定された。

A159 正解 A

クチャは沖縄方言で泥のこと。沖縄の海底に長く蓄積し
ていたクチャは、粒子が細かく貝の化石やサンゴの死骸
を多く含み、ミネラルや炭酸カルシウムが豊富。石けん
や泥パックとして商品化されている。

Q160　1900 年ごろから県内各地でヒンプンや柱の石材として使われてきたマチナト石灰岩の別名は粟石だが、名前の由来は？

A　見た目が大阪のお菓子「粟おこし」に似ているから
B　開発した石材の専門家の名前が粟さんだから
C　粟国島で掘られた石だから

Q161　建造物として沖縄県で初めて国宝に指定された玉陵（たまうどぅん）とは？

A　琉球王国歴代の墓
B　冊封使節をもてなす宿泊施設
C　豊作を願う儀式をする場所

Q162　沖縄のお墓でよく見られる「破風墓（はふばか）」と「亀甲墓（かめこうばか、きっこうばか）」の説明で正しいのは？

A　破風墓は円柱状の墓石が特徴的
B　どちらも、もともとは庶民の墓だった
C　亀甲墓は母胎あるいは子宮の象徴と考えられている

A160 正解 A

ポツポツと穴が空いている形や色が似ていたから。1960年代にアメリカ人の調査員が浦添市牧港一帯の地層をマチナト（牧港）石灰岩と呼んだのが始まり。マチナト石灰岩は有孔虫の破片などでできている。港川海岸に行くと採石場跡がある。

A161 正解 A

尚円王即位の1470年から1879年までの410年間、琉球王国を統治した第二尚氏の歴代国王の墓。2000年には「琉球王国のグスク及び関連遺産群」として世界遺産に登録された。

A162 正解 C

破風とは三角屋根の側面の板のこと。破風墓は三角屋根の付いた墓で、玉陵が現存する最古の破風墓。亀甲墓は屋根が亀の甲羅の形をしている墓で沖縄島中南部に多い。どちらも王族士族にしかつくることを認められていなかったが、廃藩置県の後は一般の人もつくれるようになった。

Q163 畑や漁に出るときに被る、沖縄の伝統的な民具クバ
笠にはいろいろなタイプがある。本島型にある2つ
の種類とは？

A　畑用と海用
B　夏用と冬用
C　晴れ用と雨用

Q164 北中城村にある国の
重要文化財中村家の
説明で正しいのは？

A　18世紀中頃の建造物
B　王朝の料理人の家
C　防風林としてガジュマルの木が植えてある

Q165 戦後再開した沖縄のガラス産業で広く使われた材料
は？

A　戦闘機の窓ガラス
B　海岸に流れ着いたシーグラス
C　米軍が持ち込んだコーラやビールの廃瓶

A163 正解 A

日光をさえぎるために笠が浅く径が大きい畑用（ハルサー用）、風で飛びにくいように笠が高く径が小さい海用（ウミンチュ用）がある。ほかにも久米島型、八重山型、与那国型がある。

A164 正解 A

戦前の沖縄に見られた住居建築の特色を備えた建物。当時の上層農家の生活を知ることができる。入り口にはヒンプン、東・南・西は琉球石灰岩の石垣で囲われ、内側には防風林としてフクギ（福木）が植えてある。

A165 正解 C

原料不足から廃瓶を色別に分けて再利用した。1972 年の日本復帰までガラス細工の 8 割が米国への輸出やアメリカ軍兵士向けに作られていた。現在もガラス工芸は盛んで、コップ作りなどのアクティビティは観光客に人気。（『すぐわかる沖縄の美術』宮城篤正監修　東京美術）

Q166 幻の黒真珠養殖に世界で初めて成功した、石垣市川平湾にある琉球真珠株式会社が使っている貝は？

A　クロチョウガイ
B　シャコ貝
C　リュウキュウアオイガイ

Q167 沖縄県で屋根の上などに飾られている伝説の獣の像を何という？

A　ユニコーン
B　琉神マブヤー
C　シーサー

Q168 日本復帰まで沖縄で発行された琉球切手は何種類？

A　68 種類
B　259 種類
C　689 種類

144

A166 　正解 A

クロチョウガイ（黒蝶貝）は、シロチョウガイなどほか
の真珠貝と同じウグイスガイ科の二枚貝で、全長 10 ～
15cmほど。八重山、宮古の周辺海域に多く生息し、昔は
貝ボタンの原料として採取されていた。1977 年に石垣
市の市貝に制定されている。

A167 　正解 C

シーサーは、家・人・
村などに災いをもたら
す悪霊を追い払う魔除
けの像。獅子を沖縄方
言で発音したもの。雄
と雌のペアで置かれる
ことが多い。福を招き

入れる口の開いたシーサーが雄で向かって右側、災難を
家に入れない口を閉じたシーサーが雌で向かって左側と
いう説があるが諸説ある。

A168 　正解 B

敗戦後の 1948 年に「ソテツ」などの普通切手が発行さ
れたのが始まり。日本に復帰する 1972 年 4 月 20 日に発
行された「ゆしびん」といわれる泡盛の入れ物をデザイ
ンした切手が最後の一枚。普通切手、記念切手、航空切
手など 259 種（再刷含む）が発行された。

Q169　琉球切手が使われたこ
とのない鹿児島の島
は？

A　悪石島
B　奄美大島
C　屋久島

Q170　沖縄県で沖縄島に次いで面積が大きい島は？

A　石垣島
B　西表島
C　宮古島

Q171　琉球切手の 1 枚として企画された「日米琉合同記念
植樹祭記念切手」が発行されなかった理由の一つと
して正しいのは？

A　誤って 10 倍の金額が印刷されていたから
B　日の丸が星条旗より上の方にデザインされてい
たから
C　琉球のローマ字が間違っていたから

A169 正解 C

悪石島のある十島村や奄美の島々でも日本復帰までは琉球切手が使われていた。トカラ列島の日本復帰は1952年2月10日。奄美は1953年12月25日。

A170 正解 B

沖縄県内の島を面積が大きい順に並べると、沖縄島(約1206km²)、西表島(約289km²)、石垣島(約222km²)、宮古島(約158km²)、久米島(約59km²)。

A171 正解 B

1967年3月16日から恩納村万座毛で行われた日米琉合同記念植樹祭の切手は、不発行切手として知られている。図柄に描かれている日の丸が星条旗より上に位置していたことが問題の一つとされている。図柄自体は公開されているので見ることができる。

Q172　経済産業大臣が指定する伝統的工芸品は 2022 年 11 月 16 日時点で全国で 240 品目。そのうち沖縄県のものは何品目？

A　4
B　11
C　16

Q173　沖縄県内で最も古いとされるシーサー「富盛の石彫大獅子」は何を願って作られた？

A　火災を防ぐため
B　雨を降らせるため
C　田畑の豊作を願って

Q174　沖縄県にある日本に現存する最古の石造アーチ橋は？

A　ハナンダ橋（八重瀬町）
B　安和の石橋（名護市）
C　天女橋（那覇市）

A172 正解 C

久米島袖、宮古上布、読谷山花織、読谷山ミンサー、壺屋焼、琉球絣、首里織、琉球びんがた、琉球漆器、与那国織、喜如嘉の芭蕉布、八重山上布、八重山ミンサー、知花花織、南風原花織、三線の16。東京都18、京都府17に次いで、新潟県と並んで3番目に多い。

A173 正解 A

火災が多かった富盛地区で風水師に占ってもらったところ、「火山（フィーザン）」といわれる八重瀬岳に向かってシーサーを作るとよいと助言されたことから作られた。像の本体には沖縄戦で受けた弾痕が残っている。

A174 正解 C

天女橋は、円覚寺総門前の円鑑池（えんかんち）にある弁財天堂に架けられた橋で国指定重要文化財。全長9.75m、幅3.28mの小さな橋である。弁財天堂は、尚真王時代の1502年に朝鮮から贈られた経典を収納する目的で建立された。

Q175 ユネスコ世界遺産「琉球王国のグスク及び関連遺産群」に登録されている那覇にある識名園は、もともと何のために造られた？

A　薩摩藩の役所
B　中国からの使者の宿舎
C　琉球王家の別邸

Q176 沖縄諸島で伝承されている、子どもの姿をした妖怪とは？

A　ケンムン
B　キジムナー
C　ケンタウルス

Q177 「国立劇場おきなわ」でもよく上演される、国の重要無形文化財に指定されている演劇は何？

A　京劇
B　沖縄人形劇
C　組踊

A175 正解 C

1799年完成の識名園は、王家の保養や中国からの使い（冊封使）をもてなした場所。歴史的建物と緑豊かな庭園を楽しむことができる。第二次世界大戦でほとんどの建造物が破壊されたが復元した。

A176 正解 B

沖縄県の妖怪として全国に知られているキジムナーは、ガジュマルやアコウなどの大木の精霊として知られている。魚介類が好きで特に魚の左目が好物。

A177 正解 C

組踊は、唱え（台詞）、音楽、踊り（所作）で構成される演劇。長く演じられている作品だけでなく、新しい創作組踊も演じられている。「スイミー」など子どもも楽しめる作品の上演や解説付きで鑑賞できる教室が開催されるなど、普及活動も熱心に行われている。

Q178　沖縄芝居の3大歌劇といえば「泊阿嘉(とぅまいあーかー)」、「奥山の牡丹」と何？

A　久米島ヒットー大
B　首里スクイズー中
C　伊江島ハンドー小

Q179　石垣島の伝統行事アンガマに登場する老夫婦の役割は？

A　あの世の様子について語る
B　幸せのキーワードを伝える
C　魔法を伝える

Q180　薩摩が攻めてきた1609年、琉球の人々が薩摩藩の兵を追い返すために坂の上からまいたと伝えられているのは？

A　熱いジューシー
B　熱いおかゆ
C　熱いぜんざい

152

A178　正解 C

ウチナーグチで演じられるのが沖縄演劇。「イージマハンドーグヮー」と読む。映画やテレビが娯楽の中心となりウチナーグチを理解する人が減り、本島だけで十数カ所あった常打ちの小屋はなくなったが、今でも公演を続けている人気劇団がある。

A179　正解 A

「アンガマ」は旧盆の時季に家々の仏壇を回るあの世からの使者。木彫りの面を着けたおじぃ姿のウシュマイと、おばぁ姿のンミーがにぎやかに練り歩く。見物人からの質問にウシュマイとンミーがトンチの利いた回答をする。

A180　正解 B

熱い粟のおかゆを道や坂に流したといわれている。場所は諸説あるが、嘉手納町にも熱いウケーメー（おかゆ）を炊いて坂の上から流し薩摩軍の侵入を阻止したといわれる天川坂（アマカービラ）がある。

Q181 名物料理になりつつある骨汁は、何の骨を使った料理？

A　鶏
B　豚
C　猪

Q182 伝統的なお菓子ポーポーは、水で溶いた小麦粉を薄く焼いた皮に、何を塗ってクルクルと巻いたもの？

A　チョコレート
B　ツナ缶
C　油みそ

Q183 沖縄の旧暦7月7日、タナバタの日は何をする日？

A　お墓の掃除
B　屋根の掃除
C　門の掃除

A181　正解 B

北谷町にある「がじまる食堂」が 1980 年代前半にメニューに入れたのが始まり。沖縄そばなどの出汁を取るときに使った豚の骨で肉が多めのものを、スープと大根や冬瓜などの野菜で煮込んだ料理。最後にゆでたレタスをのせる店が多い。

A182　正解 C

旧暦 5 月 4 日に、子どもたちの健やかな成長を願い家庭で作るのがポーポー。黒砂糖の液で小麦粉を溶いて焼いた生地を巻くと「ちんびん」。読谷村楚辺の少し厚みがあり黒砂糖入りの「楚辺（そべ）ポーポー」も知られている。

A183　正解 A

旧暦の 7 月 7 日は、旧盆（旧暦 7 月 13 ～ 15 日）の 1 週間前。お墓掃除や仏壇の手入れをして御先祖様が帰ってくるお盆の準備をする日。「七夕日なし（タナバタヒーナシ）」と呼ばれ、お墓の修繕・お墓の引っ越し・洗骨など、御先祖様に関する大事なことも、暦を気にせずに行える日でもある。

Q184 沖縄線香「ヒラウコー」の説明で正しいのは？

A　日本線香を5本、平らに並べてくっつけた形
　　をしている
B　使う目的や使う人によって供える本数が決まっ
　　ている
C　火をつけるとヨモギの香りがする

Q185 穀物の発生地であり、「神の国」といわれる久高島
で使われる料理の素材は？

A　ハブ
B　エラブウミヘビ
C　ヤギ

Q186 生食やジュースに利用される、バンジロウとも呼ば
れる果物は？

A　イチジク
B　ドリアン
C　グァバ

A184　正解 B

日本線香は1本の棒状だが、
ヒラウコーは6本の長い線香
を平らに並べ、側面でくっつ
けた形をしている。使う目的
や使う人によって、供えるヒ
ラウコーが3本だったり12
本だったりと異なる。匂いは
特にしない。

A185　正解 B

エラブウミヘビは方言でイラブー。久高島ではイラブー
の漁獲権を持つノロ（村の女神官）が捕獲したイラブー
を伝統的な方法で燻製にする。イラブー料理は琉球王国
の宮廷料理の流れをくむ伝統料理で、薬用効果があると
されている。

A186　正解 C

熱帯アメリカ原産のグアバは、とてもいい香りがするこ
とでも知られている。国内では沖縄県と鹿児島県が主な
産地で、露地栽培も行われている。

Q187　ドラゴンフルーツは何科の植物？

　　　A　バラ科
　　　B　サボテン科
　　　C　ミカン科

Q188　沖縄そばの主な
　　　原料は？

　　　A　小麦粉
　　　B　そば粉
　　　C　米

Q189　沖縄で「ジューシー」といえば何？

　　　A　炊き込みご飯
　　　B　ジュース
　　　C　かぼちゃ

A187　正解 B

南国の果物で「ピタヤ」とも呼ばれる。ドラゴンフルーツの主な産地は沖縄県と鹿児島県で、沖縄県が全国の6割程度を生産している。見た目は赤など鮮やかな色だが、さっぱりとした甘い味がする。

A188　正解 A

沖縄そばは、沖縄県で人気のある郷土食で「すば」ともいい、専門店が各地にある。軟骨そば、豚足そばなどいろいろな種類がある。日本復帰後、公正取引委員会からそば粉を使っていないので、「そば」と名乗ってはいけないという指摘があったが、1978年10月17日に「沖縄そば」の名称を使うことが可能になった。

A189　正解 A

炊き込みご飯がジューシー。天ぷら屋さんや弁当屋さんには、おいしい炊き込みご飯の入ったお弁当や、おにぎりにしたものが売られている。硬めに炊いた「クファジューシー」、汁気の多い雑炊状の「ボロボロジューシー」など多様なジューシーがある。

Q190　さとうきびについての説明で正しいのは？

A　県の耕地面積の2割程度を占める
B　生産された5割程度が黒砂糖に加工される
C　江戸時代から栽培されている

Q191　法事用のお供え菓子として、また日常の茶菓子としても親しまれているクンペンの中に入っているのは？

A　胡麻あん
B　うぐいすあん
C　ピーナツバター

Q192　人参シリシリーは沖縄でよく耳にする料理の一つ。「人参をシリシリーする」と言うときのシリシリーの意味は？

A　おろす
B　炒める
C　煮る

A190　正解 C

製造方法を中国から学び、沖縄で黒糖を作り始めた
のは300年以上前の江戸時代から。さとうきびは沖
縄を代表する農産物で、県の耕地面積の半分を占め
る。大半は上白糖などの原料になり、黒糖になるの
はわずか6%ほど。

A191　正解 A

クンペン（コン
ペン）は、琉球
王国時代から伝
わる代表的な琉
球菓子。「薫餅」と書くこともある。皮は卵黄・小麦粉・
砂糖・ベーキングパウダーで作り、ピーナツ、ごま、
砂糖を練ったあんを包んで丸め、平たくして焼いて
ある。王朝時代は米粉を皮に使い卵黄だけで衣を作
る高級菓子で、冊封使の歓待料理だった。

A192　正解 A

シリシリーは千切りのこと。専用のシリシリー器も
販売されている。大根やパパイヤもシリシリーする。
食感が柔らかく、味がよくしみこむ料理方法。

Q193　ヒラミレモンとも呼ばれる奄美大島以南で栽培される果物は？

A　グァバ
B　スターフルーツ
C　シークヮーサー

Q194　「A&W」の説明で正しいのは？

A　沖縄県限定のハンバーガーショップ
B　通称は「アメリカ」
C　代表商品のルートビアは 14 種類以上の薬草から作られている

Q195　沖縄の伝統的な煙草で現在も販売されている銘柄は？

A　バイオレット
B　ハイトーン
C　ウルマ

A193　正解 C

シークヮーサーの和名が
ヒラミレモン（平実檸檬）。
沖縄方言で「酸を食わせ
る」という意味で、ドレッ
シングに使ったりジュー
スにして飲んだりする。

A194　正解 C

1919 年にアメリカでルー
トビアの販売が始まった。
沖縄に A&W（通称は「エ
ンダー」）が誕生したのは
本土復帰前の 1963 年 11 月
1 日。アメリカ、沖縄、イ
ンドネシア、タイなどに店
舗がある。ルートビアはノ
ンアルコールドリンク。

A195　正解 C

復帰前の沖縄には「琉球煙草」「オリエンタル煙草」「沖
縄煙草」の 3 社があった。本土復帰の 1972 年 5 月 15 日
に日本専売公社が販売を引き継いだが、「ハイトーン」
が 2011 年、18 年には「バイオレット」が販売終了になり、
現在残っているのは「ウルマ」だけになった。

Q196 泡盛の原料は主に何？

A 国産ジャポニカ米
B タイ産インディカ米
C ベトナム産小麦

Q197 与那国島（与那国町）に特例で製造が認められているアルコール度数 60 度の蒸留酒（スピリッツ）は何と呼ばれている？

A 雲酒
B 海酒
C 花酒

Q198 沖縄の島バナナの説明で正しいのは？

A 一般的なフィリピンバナナより大きい
B 表面に黒い斑点が出ると腐りはじめなので食べない
C マレーシア原産で、小笠原諸島経由で沖縄へ移入された

A196 　正解 B

泡盛の起源はタイの蒸留酒「ラオロン」という説が有力。
蒸しても粘らず団子にならないなどの理由から、現在も
泡盛の材料は主にタイ産インディカ米だが、一部ジャポ
ニカ米での製造も行われている。八重山の「やいま」は
石垣産ひとめぼれを使った泡盛。

A197 　正解 C

国泉泡盛の「どなん」、崎元酒造所の「与那国」、入波平
酒造の「舞富名(まいふな)」は、アルコール度数が高く「原
料用アルコール」扱いだったが、2020年の財務省令改
正で「泡盛」と表示できるようになった。

A198 　正解 C

島バナナの一本のサイズは一般的なフィリピンバナナよ
り小さい。熟す前に収穫し、つるして追熟して食べる。
皮が黄色くなり表面にシュガースポットと呼ばれる黒い
斑点が出たら食べごろ。酸味のある甘さが特徴的。

Q199　八重山諸島の風土病「風気」とは？

A　ペスト
B　コレラ
C　マラリア

Q200　「人に打たれず、人打たず、事なきを基とするなり」
とは何の教え？

A　ボクシング
B　空手
C　柔道

Q201　1973 年に復帰記念沖縄特別国民体育大会として開
催された国体のテーマは？

A　太陽国体
B　海邦国体
C　若夏国体

A199 正解 C

1894年に三浦守治（帝国大学医科教授　病理学）らの
グループがマラリアであることを明らかにした。沖縄県
は、1896年から特効薬キニーネを配布し治療にあたっ
た。1962年に八重山からマラリアは一掃され、ゼロマ
ラリアが達成された。

A200 正解 B

剛柔流空手の創始者、宮城長順の言葉。沖縄は空手発祥
の地。空手は、争いを避け、和を尊ぶ武道。

A201 正解 C

沖縄の日本復帰を記念して開かれた若夏国体は、全国予
選を行わず、各都道府県に種目と人数を割り振った。国
体の通算回数にカウントしない特別な大会。1987年に
沖縄県で開催された第42回国民体育大会が、海邦国体。

Q202 1979年に沖縄県で初めてキャンプを行ったプロ野球チームは？

A 読売ジャイアンツ
B 日本ハムファイターズ
C ヤクルトスワローズ

Q203 全国高等学校野球選手権大会に沖縄県代表として初出場したのは1958年の首里高校。選手が沖縄に持ち帰った甲子園の砂は那覇港に捨てられた。そのことを知った日航機の客室乗務員が首里高校に贈ったものは？

A 甲子園のベンチ
B 甲子園のベース
C 甲子園の小石

Q204 具志堅用高のプロボクサーとしての戦績は？

A 21勝2敗1引き分け
B 22勝0敗2引き分け
C 23勝1敗

A202 正解 B

現在では、日本のプロ野球チーム 12 チーム中、日本ハム、阪神、ヤクルト、広島、巨人、中日、横浜、楽天、ロッテの 9 チームが沖縄県内でキャンプをしている。（2022 年実績）

A203 正解 C

第 40 回大会に出場した首里高校は 1 回戦で敦賀高校（福井）に 0 − 3 で敗れた。持ち帰った甲子園の砂は植物防疫法に触れるとして那覇港に捨てられたが、日本航空の客室乗務員から甲子園の小石を贈られた。その石は首里高校に立つ「友愛の碑」の文字の周りに埋め込まれている。

A204 正解 C

1974 年 5 月 28 日、牧公一に判定勝ちし、1981 年 3 月 8 日にメキシコのペドロ・フローレスと対戦し KO 負けするまで 23 連勝（15KO）した。

Q205　2006 年に創設された沖縄県初のプロスポーツチーム「琉球ゴールデンキングス」のチームロゴは何をモチーフにデザインされている？

A　ヤンバルクイナ
B　ジンベイザメ
C　竜頭

Q206　2019 年、国立科学博物館による「3 万年前の航海徹底再現プロジェクト」で台湾を出発した丸木舟は、何時間かけて与那国島に到着した？

A　約 28 時間
B　約 45 時間
C　約 62 時間

Q207　エイサーという言葉の由来として有力なのは？

A　念仏の言葉
B　人名
C　植物の名前

A205   正解 C

琉球ゴールデンキングス（プロバスケットボールチーム）の名称は琉球王国に由来するもの。琉球王国の文化の一つである風水で大切とされる竜の頭をモチーフにロゴマークはデザインされた。

A206   正解 B

舟名はスギメ。男女
5人が乗り、星や太
陽を頼りに針路を定
める古代の航海法で
225kmを漕ぎ切った。

A207   正解 A

エイサーは、浄土宗の仏僧・袋中上人（たいちゅうしょうにん）の「念仏歌」から生まれたという説がある。「エイサー」の名前は、古歌謡集「おもろさうし」の「ゑさおもろ」からという説や、演舞中の「エイサー エイサーヒヤルガエイサー」の囃子詞からという説がある。（エイサー会館ＨＰ）

Q208　エイサーで京太郎（チョンダラー）と言えば何？

A　美しいお妃役のこと
B　顔を白く塗って滑稽な動きをする役のこと
C　人間に化けた大きな魚役のこと

Q209　2007 年に「エイサーのまち」宣言をしたのは？

A　那覇市
B　宮古島市
C　沖縄市

Q210　沖縄県対策外来種リストにある植物、ツルヒヨドリの英語の異名「mile-a-minute weed」の意味は？

A　1 マイル見つけられなくても安心してはいけない雑草
B　1 分間で 1 マイル広がる雑草
C　まばたきをする間にも成長する雑草

172

A208　正解 B

棕櫚（しゅろ）で編んだカツラを被り、顔を白く塗ったピエロに見える役が京太郎（チョンダラー）。観客を盛り上げるだけでなく、隊列を導く役割も果たしている。

A209　正解 C

2007年6月13日に沖縄市は、「エイサーのまち」宣言をした。1956年から沖縄市で開催されている沖縄全島エイサーまつりは県内最大のエイサーのイベントで、毎年旧盆の翌週末に開催される。

A210　正解 B

1マイルは1.609344kmのことで、「mile-a-minute weed」（1分で1マイル広がる雑草）は、ツルヒヨドリの成長が非常に早いことを表現している。ツルヒヨドリは、1984年にうるま市天願川河口で、日本で初めて発見された。世界の侵略的外来種ワースト100にあげられている。

Q211 日本復帰前に米軍の車につけられたナンバープレートに書かれていた「Keystone of the pacific」の意味は？

A　太平洋の目印
B　太平洋の鍵
C　太平洋の要石

Q212 沖縄島北部のやんばるの固有種「ホントウアカヒゲ」の学名はどれ？

A　*Luscinia komadori namiyei*
B　*Luscinia akahige*
C　*Gallirallus okinawae*

Q213 琉球大学の英語表記で正しいのは？

A　Ryukyu University
B　University of the Ryukyu
C　University of the Ryukyus

A211　正解 C

アメリカ軍は中国、朝鮮半島、台湾海峡、東シナ海など
に近い沖縄にある米軍基地を「太平洋の要石」と位置付
けていた。

A212　正解 A

オランダ自然史博物館の初代館長コンラート・ヤコブ・
テミンクが、鳥の標本を分類して学名を付ける作業を
したとき、アカヒゲとコマドリの学名を入れ替えて本
に記載した。コマドリの学名は、Luscinia akahige。
Gallirallus okinawae はヤンバルクイナの学名。

A213　正解 C

「琉球」のローマ字表記の多くは琉球新報 Ryukyu
Shimpo のように「Ryukyu」。複数形になっているのは
琉球諸島の島々の大学という意味からだといわれてい
る。琉球銀行も Bank of The Ryukyus としている。

Q 1 沖縄の言葉を（　　　　）という。

Q 2 沖縄島で最大規模のマングローブがあるのは、東村の（　　　　）川河口である。

Q 3 1996年4月12日、宜野湾市にある「世界一危険な米軍基地」といわれる（　　　　）を「5～7年以内」に返還することで日米両政府が合意した。しかし、条件とされる「代替施設の建設」が進まず実現していない。

Q 4 2001年9月11日の米中枢同時テロの後、在日米軍基地が集中する沖縄への修学旅行はキャンセルが相次いだため、沖縄県は（　　　　）キャンペーンを展開した。

Q 5 竹富島などで、まいた種から穀物が育ち豊作になることを願う行事は（　　　　）。

Q 6 神話時代、琉球創世神（　　　　）は、天から久高島に降り立ち国づくりを始めた。

Q 7 近代の沖縄学の祖といわれるのは（　　　　）である。

A 1 ウチナーグチ

A 2 慶佐次（げさし）
慶佐次川河口に発達するヒルギ林は、約 10ha でヤエヤマヒ
ルギ、オヒルギ、メヒルギを観察できる。1959 年に琉球政
府の天然記念物に指定され、1972 年には国の天然記念物に
指定された。

A 3 普天間飛行場
2006 年、国は名護市辺野古に代替施設をつくる案を決めた。
09 年、民主党鳩山政権が「県外移設」を模索したが実現し
なかった。13 年、仲井真知事の辺野古埋め立て承認を経て
17 年に辺野古で本格工事が始まっているが、知事選挙や県
民投票では反対する県民の世論が示されている。

A 4 だいじょうぶさぁ～沖縄

A 5 種子取祭（タナドゥイ）
竹富島の種子取祭は島最大の行事で、10 日間にわたり神事
や奉納芸能などが行われる。

A 6 アマミキヨ
17 世紀の歴史書『中山世鑑』によると、アマミキヨは島に 1
組の男女を住まわせ、7 つの御嶽を作ったとされる。

A 7 伊波普猷（いは ふゆう）
言語学者、民俗学者、歴史家。1906 年、東京帝国大学文学
科言語学専修卒。琉球古代史、古語などを研究した。多く
の著作があり、『伊波普猷全集』（全 11 巻）にまとめられて
いる。

Q 8　米軍の沖縄侵攻作戦を（　　　　）作戦という。

Q 9　沖縄県の名誉県民としてただ一人選定されているのは（　　　　）氏。

Q 10　1990 年に第 1 回が開催され、原則として 5 年に1 度、海外の県系人が沖縄で一堂に会するのは（　　　　　　　　）。

Q 11　（　　　　）は、沖縄県技師として県農業の改革を進めたが、1992 年に県知事に就任した奈良原繁と対立、辞職した。県政批判・参政権要求運動を展開したが弾圧され、運動は挫折し、1908 年に 44 歳で亡くなった。

Q 12　1969 年に沖縄に持ち込まれていることが発覚した毒ガスは、（　　　　）作戦で撤去された。

A 8 アイスバーグ

米軍は台湾進攻作戦（コーズウェー作戦）を放棄し、1945年1月6日付で沖縄進攻作戦（アイスバーグ作戦）の計画書をまとめ、実行した。

A 9 山中貞則（やまなか さだのり）

鹿児島県出身の政治家で、衆議院議員（17期）、沖縄開発庁長官（初代）、防衛庁長官（31代）、自由民主党政務調査会長（23代）、通商産業大臣（43代）などを歴任。沖縄県の発展に寄与した業績が高く評価され、伊平屋島と西表島に銅像が建てられている。伊平屋島と竹富町の名誉村・町民でもある。

A 10 世界のウチナーンチュ大会

県内各地で行事が開催される。2016年に開催された第6回大会の閉会式で、翁長雄志知事（当時）が、10月30日を「世界のウチナーンチュの日」に制定することを宣言した。

A 11 謝花昇（じゃばな のぼる）

農家出身。1882年第1回県費留学生5人の中の1人として選ばれ、現在の東京大学農学部に入学し主席で卒業した。八重瀬町立具志頭歴史民俗資料館に展示室があり、八重瀬町東風平運動公園内には銅像が建っている。

A 12 レッドハット

沖縄県祖国復帰協議会が主催した「毒ガス即時完全撤去を要求する県民大会」（会場・美里中学校）などの運動を経て、1971年9月に沖縄から完全に撤去された。

Q13 終戦後、米軍占領下の沖縄で、1950 年代に米軍が行った土地の強制接収を（　　　と　　　）と呼ぶ。

Q14 活火山の大噴火が原因で、硫黄鳥島の島民が移住した島は（　　　）。

Q15 1429 年に（　　　）が琉球最初の統一政権を樹立した。

Q16 サンフランシスコ講和条約が発効した 1952 年 4 月28 日は、沖縄で（　　　）と呼ばれる。

Q17 アメリカ統治下時代の沖縄で米軍基地から物資を盗み出す者たちを（　　　）と呼んだ。

Q18 柳田国男は、日本民族の祖先は稲作技術を携えて遥か南方から（　　　）の道を北上し、沖縄の島づたいに渡来したという仮説を立てた。

Q19 （　　　）学徒隊は、1945 年 3 月末に看護要員として沖縄陸軍病院に動員された、沖縄師範学校女子部と沖縄県立第一高等女学校の生徒 222 名と引率教師 18 名のことである。

A 13 銃剣とブルドーザー

1953 年 4 月に「土地収用令」を公布し、強制的な土地接収
が進められた。

A 14 久米島

A 15 尚巴志

1416 年（1422 年説あり）に、尚巴志は北山を、1429 年に南
山を併合して統一政権を樹立した。

A 16 屈辱の日

連合国軍に占領されていた日本は独立を回復したが、沖縄や
奄美などは含まれていなかった。沖縄が日本に復帰するまで
27 年間かかり、その間は日本国憲法が適用されず、基地負
担の増加など今に通じる様々な問題が起きた。

A 17 戦果アギヤー

「戦果を挙げる者」という意味。真藤順丈の小説『宝島』で
は戦果アギヤーが重要な登場人物になっている。

A 18 海上

柳田国男の沖縄関係の著作に『海南小記』（1925 年刊）、『海
上の道』（1961 年刊）などがある。

A 19 ひめゆり

ひめゆり学徒隊、白梅学徒隊、なごらん学徒隊、瑞泉学徒隊、
積徳学徒隊、悌梧学徒隊、宮古高女学徒隊、八重山高女学徒隊、
八重農学徒隊と 9 つの学徒隊があった。ひめゆり学徒隊は、
米軍の侵攻により 5 月末に沖縄島の南部へ撤退したが、6 月
18 日に突然解散命令が出され、数日の間に死亡者の約 80％
に当たる 100 名余りが命を落とした。

Q20　2007 年 9 月 29 日、宜野湾海浜公園で沖縄県知事、沖縄県議会議長、那覇市長など約 11 万人（主催者発表）が参加して「（　　　　　）撤回を求める県民大会」が開催された。

Q21　集落の住民が共同で出資・運営する共同売店の第 1 号店は（　　　　　）共同店である。

Q22　2012 年 9 月 9 日、10 万 3000 人余が宜野湾海浜公園で行われた「（　　　　　）配備に反対する沖縄県民大会」に参加した。

Q23　米国による統治に対する抵抗運動を行い、復帰前に那覇市長 1 期、立法院議員 3 期、衆議院議員 1 期、復帰後に衆議院議員 6 期を務め、政治家として活躍したのは（　　　　　）。

A20 教科書検定意見

文部科学省が沖縄戦の「集団自決」から日本軍の強制・関与の記述を削除。これに対して、「沖縄戦における『集団自決』が、日本軍による命令・強制・誘導等なしに、起こりえなかったことは紛れもない事実であり、そのことがゆがめられることは、悲惨な地上戦を体験し、筆舌に尽くしがたい犠牲を強いられてきた沖縄県民にとって、到底容認できるものではない」とし、速やかな検定意見の撤回、記述回復を要請した。

A21 奥

1906年に、国頭村奥に開業した。

A22 オスプレイ

2012年10月1日、沖縄県議会は全会一致で、「県民の生命、安全及び生活環境を守る立場から、県内へのオスプレイ配備に強く抗議するとともに、米軍普天間飛行場の固定化に強く反対し、オスプレイ全機の撤収と米軍普天間飛行場の閉鎖・撤去を強く要求する」として、「県内へのオスプレイ配備に対する抗議」を決議した。米軍航空機関係の墜落事故は1959年6月30日、宮森小学校米軍機墜落事故、2004年、沖縄国際大米軍ヘリ墜落事件、2016年、MV22オスプレイの墜落事故など多数発生している。

A23 瀬長亀次郎

那覇市若狭には瀬長亀次郎の記念館である不屈館がある。1998年には、映画「カメジロー 沖縄の青春」が公開された。

Q24 琉球政府第 5 代主席・屋良朝苗は、ニクソンショックで 1 ドル 360 円から 1 ドル 305 円になることにより、復帰時の両替で沖縄県民の財産が目減りすることを避けるため、1971 年 10 月に（　　　　）を実施した。

Q25 国頭村比地にある環境省のやんばる野生生物保護センターは「ウフギー自然館」。「ウフギー」は、ウチナーグチで、（　　　　）という意味がある。

Q26 石垣市に 2013 年 3 月 7 日に開港した新石垣空港のマスコットキャラクターとして誕生した（　　　　）は、特別天然記念物「カンムリワシ」をモチーフにしている。

Q27 竹富町には（　　　　）飼養条例があり、町に飼い猫を登録しなければならないほか、西表島に猫を連れていくときは、事前にウイルス検査やワクチン接種をするなど、必ずしなければならない。

Q28 石垣島に水牛が導入されたのは（　　　　）からの移民による。

A24 通貨確認

屋良主席は沖縄担当大臣の山中貞則総務長官と協力し、住民が保有するドルを確認。確認したドル限定で復帰時点のレートと360円との差額を給付金として支払う手立てをとった。外部からのドルの持ち込みを防ぎ、住民の資産を守る作戦は大蔵省の抵抗にあいながらも一定の成果を得た。通貨確認以後のドルには適用されなかった。

A25 大木

地元の人々に公募して選ばれた言葉。

A26 ぱいーぐる

A27 猫

ネコエイズ、ネコ白血病に感染しているネコの持ち込みは禁止、マイクロチップ装着（2022年4月1日より全ての島で義務化）、避妊去勢手術などが定められている。

A28 台湾

台湾の水牛は1933～38年に60頭が石垣島に導入された。竹富島や由布島、本部町備瀬のフクギ並木などで水牛観光が行われている。

Q29 沖縄県希少動植物保護条例で指定されているメダカ
は（　　　　）である。

Q30 石垣島白保の海には北半球最大かつ最古の（　　　）
サンゴ群集がある。

Q31 五角形や六角形の畳石が広がる海岸があるのは、久
米島から橋でつながる（　　　　）島である。

Q32 （　　　　）はウチナーグチでチデークニー。黄色
い大根と呼ばれる野菜である。

Q33 ゴーヤーに含まれているビタミン（　　　　）は、
加熱しても壊れにくい。

Q34 ドゥルワカシー、ドゥルテン、ウムニーといえば
（　　　　）料理である。

A 29　ミナミメダカ

ミナミメダカは、沖縄県では、沖縄島、渡嘉敷島、久米島、伊平屋島、南大東島に生息する。ただし、大東諸島に生息するミナミメダカは移入によるものなので、指定から除外されている。

A 30　アオ

内部が青いからアオサンゴ。白保には、1つの大きさが 10 m 以上のアオサンゴもある。白保は椎名誠監督の映画作品「うみ・そら・さんごのいいつたえ」の舞台。

A 31　奥武

A 32　島ニンジン

津堅島などで栽培されるニンジンは黄色い。

A 33　C

食事摂取基準（2020 年度）でビタミン C の 1 日の推奨摂取量は 100mg（12 ～ 75 歳、男女同じ）。ゴーヤーには 100g あたり約 76mg のビタミン C が含まれている。

A 34　田芋

田芋の方言はターンム。浅い水を張った水田で栽培する里芋の一種。宜野湾市や金武町が主な産地。子芋が次々と増えることから、縁起物として正月や盆などの行事に欠かせない食材。

Q35　沖縄の伝統的な菓子で、押麦、緑豆（または小豆）、黒砂糖が原料の粥状の食品は（　　　　）。

Q36　うっちん茶の「うっちん」は（　　　　）のことである。

Q37　ぐしけんパンの「なかよしパン」にデザインされているかえるの名前は（　　　　）である。

Q38　沖縄島で、祝宴の座開きとして踊られる祝儀舞踊は（　　　　）である。

Q39　1992年にTHE BOOMがリリースした、宮沢和史作詞作曲の楽曲（　　　　）は全国で大ヒットした。

188

A35　あまがし

沖縄風ぜんざいとも呼ぶ。ユッカヌヒー（旧暦5月4日）、グングヮチグニチ（旧暦5月5日）に、家々で子どもの健康を祈り作られていた。戦後、アメリカから入ってきた金時豆を甘く煮て氷をのせる沖縄ぜんざいとは異なる。

A36　ウコン

ウコンはショウガ科の多年草。日本各地で生産されているが、沖縄や鹿児島が主な産地。

A37　秀一くん

創業者の具志堅秀一の名前を取ってつけられた。秀一くんにおへそがある理由は、ぐしけんパンでも不明。ぐしけんパンの創業は1951年。

A38　かぎやで風節

琉球古典音楽の代表的な楽曲の一つ。三線の伴奏がつくのが一般的。沖縄での読みは「カジャデフウブシ」。「今日のうれしさは何にたとえられるだろうか。蕾のままだった花に露がついて花開いたようだ」という歌詞。琉球舞踊の定番曲。

A39　島唄

沖縄県出身ではないグループによる作品であったことや、元来「島唄」が奄美大島の民謡を指していたことなどからさまざまな意見があったが、今では沖縄を象徴する作品の一つとして愛されている。沖縄戦で起きたガマでの集団自決を暗示している部分が、琉球音階ではなく西洋音階で作られている。

Q40　組踊の創始者は（　　　　　）である。

Q41　日本武道館での沖縄復帰記念式典において初演された吹奏楽のための沖縄復帰祝典序曲「飛翔（はばたき）」などの作品を作曲した宮古島出身の作曲家は（　　　　　）である。

Q42　評論家の竹中労は（　　　　　）を「島唄の神様」と呼んだ。

Q43　歌手の（　　　　　）は、1990年に結成されたネーネーズのリーダーを経て脱退、2001年に「童神（わらびがみ）」が、ＮＨＫ朝ドラの「ちゅらさん」で挿入歌として使用された。

Q44　今帰仁村出身の平良新助氏が詠んだ琉歌を元に生まれた「目を覚まそう」、「気合を入れる」という意味がある曲は（　　　　　）節である。

Q45　（　　　　　）は、沖縄県宮古島市出身のシンガーソングライターでミャークフツ（宮古口）の歌詞で歌うことで知られており、「我達が生まり島（ばんたがんまりずま）」「おばぁ」などの曲が知られている。

A 40 **玉城朝薫（たまぐすく ちょうくん）**

1684～1734 年。琉球王国の官僚、劇作家。首里王府は冊封
使を歓待するため、踊奉行であった朝薫に創作を命じた。「執
心鐘入」「二童敵討」「銘苅子」「女物狂」「孝行の巻」は、朝
薫の五番と呼ばれている。

A 41 **金井喜久子**

交響詩曲「琉球の思い出」、管弦楽曲「琉球舞踊組曲第 1 番」、
バレエ音楽「宮古島縁起」、映画音楽「八月十五夜の茶屋」、
歌舞伎劇「唐船物語（悲恋唐船）」など、沖縄をモチーフに
した作品を多数発表している。

A 42 **嘉手苅林昌（かでかる りんしょう）**

1920～1999 年。戦後沖縄県を代表する沖縄民謡の唄い手。
出演した映画「ナビィの恋」は没後に公開された。

A 43 **古謝美佐子（こじゃ みさこ）**

A 44 **ヒヤミカチ**

アメリカに移住し経営者として成功を収めた平良新助氏が、
荒廃した故郷に住む人々を励ますために作った琉歌が元に
なっている。

A 45 **下地イサム**

アルバムに「天〔tin〕」「3%」
「STOCKOUT」などがある。

Q 46　沖縄の観光ホテル第 1 号は 1941 年に建てられた（　　　　　）である。

Q 47　DOCOMOMO JAPAN 選定の「日本におけるモダン・ムーブメントの建築」に沖縄県のホテルとして唯一選定されているのは（　　　　　）である。

Q 48　那覇出身でパリを拠点に活躍する前衛的アーティスト（　　　　）さんの著書のタイトルは『止まることなく旅をしよう　時は必ず来るよ』である。

Q 49　琉球放送で 2008 年 10 月 4 日から 12 月 27 日まで放送された、ニライカナイからやってきた正義のヒーローが沖縄の平和を守るために戦う特撮番組は（　　　　）である。

Q 50　（　　　　　）高校は、1990 年、91 年と 2 年連続夏の甲子園で準優勝した。

A 46 沖縄ホテル

「沖縄観光の父」と呼ばれる宮里定三（みやざと ていぞう）氏が那覇市の「波の上」に建てたが、米軍の艦砲射撃によって消失し、1951年に大道（現在地）に再建して営業を再開した。

A 47 ホテルムーンビーチ

2022年6月現在、264件の建築物が選定されている。

A 48 幸地学（こうち まなぶ）

1954年那覇市与儀生まれ。第38回米国グラミー賞公式アーティスト。モニュメント彫刻、ブロンズ彫刻、銅版画などを制作。那覇市牧志の「ホテルパームロイヤル NAHA 国際通り」にも作品が展示されている。

A 49 琉神マブヤー

ヒーローショーを県内で展開している。2022年放送開始のオキナワンヒーローズにも登場している。

A 50 沖縄水産

糸満市にある公立の水産高校。栽弘義（さい ひろよし）監督率いる沖縄水産高校の活躍は、沖縄の戦後に一つの区切りをつけたといわれる。

附録　難読文字編　　読んでみましょう。

Q 1	勢理客（浦添市）
Q 2	国頭村
Q 3	南風原町
Q 4	北谷町
Q 5	金武町
Q 6	手登根（南城市）
Q 7	仲村渠（南城市）
Q 8	保栄茂（豊見城市）
Q 9	安田（国頭村）
Q10	砂川（宮古島市）
Q11	瑞慶覧（北中城村）
Q12	勝連平安名（うるま市）
Q13	東風平町
Q14	城辺新城（宮古島市）
Q15	喜屋武（うるま市）
Q16	伊釈加釈島（座間味村）
Q17	我如古（宜野湾市）
Q18	饒平名（名護市）
Q19	慶佐次川（東町）
Q20	我部祖河川（名護市）
Q21	於茂登岳（石垣市）
Q22	清明（行事名）
Q23	畦払い（行事名）
Q24	菊御酒（行事名）
Q25	鬼餅（行事名・食べ物名）
Q26	耳皮（食べ物名）

A 1	勢理客（浦添市）	ジッチャク
A 2	国頭村	クニガミソン
A 3	南風原町	ハエバルチョウ
A 4	北谷町	チャタンチョウ
A 5	金武町	キンチョウ
A 6	手登根（南城市）	テドコン
A 7	仲村渠（南城市）	ナカンダカリ
A 8	保栄茂（豊見城市）	ビン
A 9	安田（国頭村）	アダ
A 10	砂川（宮古島市）	ウルカ
A 11	瑞慶覧（北中城村）	ズケラン
A 12	勝連平安名（うるま市）	カツレンヘンナ
A 13	東風平町	コチンダチョウ
A 14	城辺新城（宮古島市）	グスクベアラグスク
A 15	喜屋武（うるま市）	キャン
A 16	伊釈加釈島（座間味村）	イジャカジャジマ
A 17	我如古（宜野湾市）	ガネコ
A 18	饒平名（名護市）	ヨヘナ
A 19	慶佐次川	ゲサシガワ
A 20	我部祖河川（名護市）	カブソカガワ
A 21	於茂登岳（石垣市）	オモトダケ
A 22	清明（行事名）	シーミー
A 23	畦払い（行事名）	アブシバレー
A 24	菊御酒（行事名）	チクウジャキー
A 25	鬼餅（行事名・食べ物名）	ムーチー
A 26	耳皮（食べ物名）	ミミガー

主な参考文献

琉球新報

沖縄タイムス

南日本新聞

沖縄県ホームページ

『沖縄切手ハンドブック』立川憲吉編　1973　日本郵趣協会

『やんばるの森』久高将和写真　1994　東洋館出版社

『謝花昇集』伊佐眞一編　1998　みすず書房

『沖縄ぬちぐすい事典』尚弘子監修　2002　プロジェクトシュリ

『琉球ガーデンBOOK』比嘉淳子著　2005　ボーダーインク

『よくわかる御願ハンドブック　増補改訂』　2009　ボーダーインク

『沖縄劇映画大全』世良利和著　2008　ボーダーインク

『沖縄の民俗芸能論』久万田晋著　2011　ボーダーインク

『沖縄やんばるフィールド図鑑』湊和雄著　2012　実業之日本社

『おきなわの一年』ボーダーインク編集部編　2018　ボーダーインク

『新訂ジュニア版 琉球・沖縄史』新城俊昭著　2018　編集工房東洋企画

『沖縄をめぐる言葉たち』河原仁志著　2020　毎日新聞出版

『沖縄の昆虫』2020　Gakken

『琉球弧・生き物図鑑』山口喜盛・山口尚子著　2021　南方新社

『奄美の自然入門』常田守・外尾誠著　2021　南方新社

『歩く・知る・対話する琉球学』松島泰勝編著　2021　明石書店

『奄美まるごと小百科』蔵満逸司著　2003　南方新社

『奄美食（うまいもの）紀行』蔵満逸司著　2005　南方新社

『奄美もの知りクイズ350問』蔵満逸司著　2005　南方新社

おわりに

　私の沖縄生活は、琉球大学教職大学院教員に採用された2016年3月末に始まった。本書のクイズの多くは、私の経験や感動がもとになっています。

　本書は多くの方に支えられて完成しました。特に次の皆様にはお世話になりました。〔敬称略〕

□素晴らしいイラストを描いていただきました。
　米澤美智留
□各分野の原稿を監修してくださいました。
　名冨綾乃（国語）　岡本牧子（数学）　白尾裕志（社会）
　蔵満司夢（理科）　鈴木陽子（音楽）　仲間伸恵（図工）
　砂川力也（体育）　宮城一菜（家庭）　安里三矢子（英語）
□様々な形でご指導をいただきました。
　琉球大学教職大学院院生1期生から7期生の皆様
　道田泰司　川上一　垣花秀明　ヤンティようこ　村田ひろみ
　久高将和　大島順子　岩切敏彦　山川米子　嘉陽文恵
　蔵満結花
□本書の企画から出版まで、南方新社の向原祥隆社長、本書担当の梅北優香さん、校正を遠矢沢代さん、杣谷健太さんにご尽力いただきました。

　心から感謝します。

　　　　　　　　オリイオオコウモリの舞う琉球大学にて

■著者紹介
蔵満逸司（くらみつ・いつし）

1961 年　鹿児島県生まれ
1967 年　奄美大島龍郷町立円小学校入学、龍郷町円に 3 年間居住
1981 年　世界一周 23 カ国ひとり旅
1986 年　鹿児島県公立小学校教諭着任
1997 年　鹿児島テレビ・KTS の日クイズ王選手権準優勝
2001 年　奄美大島名瀬小学校教諭として奄美赴任、大和村大棚に 5 年
　　　　　間居住。大和村漁業協同組合准組合員
2006 年　奄美パーク田中一村記念美術館の企画展として「蔵満逸司写
　　　　　真展　心で感じた奄美　5 年間の記録」を開催
2010 年　南日本新聞「ミナミさんちのクイズ」連載（～ 2020 年）
2015 年　鹿児島県公立学校教諭退職（29 年間勤務）
2016 年　琉球大学教職大学院准教授着任（現在に至る）

著書
『奄美まるごと小百科』（南方新社）
『奄美食（うまいもの）紀行』（南方新社）
『奄美もの知りクイズ 350 問』（南方新社）
『鹿児島もの知りクイズ 350 問』（南方新社）
『鹿児島の歩き方　鹿児島市篇』（南方新社）
『おいしい！授業― 70 のアイデア＆スパイス +1 小学校 1・2 年』共著
　　　（フォーラム・A）
『特別支援教育を意識した小学校の授業づくり・板書・ノート指導』
　　　（黎明書房）
『かしこい子に育てる新聞を使った授業プラン 30 ＋ 学習ゲーム 7』
　　　（黎明書房）
『小学校　授業が盛り上がるほぼ毎日学習クイズ BEST365』（黎明書房）
『インクルーシブな視点を生かした学級づくり・授業づくり』（黎明書房）
『改訂新版　教師のための iPhone & iPad 超かんたん活用術』
　　　（黎明書房）
『GIGA スクール構想で変わる授業づくり入門』（黎明書房）　ほか

沖縄もの知りクイズ 394 問

2023 年 3 月 20 日　第 1 刷発行

著　者　蔵満逸司
発行者　向原祥隆
発行所　株式会社 南方新社
　　　　〒892-0873 鹿児島市下田町 292-1
　　　　電話 099-248-5455
　　　　振替口座 02070-3-27929
　　　　URL　http://www.nanpou.com/
　　　　e-mail info@nanpou.com

印刷・製本　株式会社 イースト朝日
定価はカバーに表示しています　乱丁・落丁はお取り替えします
ISBN978-4-86124-482-7　C0001

琉球弧・生き物図鑑

◎山口喜盛・山口尚子
定価(本体1800円＋税)

琉球弧は進化の島とも言われ、島独自の種や、島ごとに分化した亜種も多い。哺乳類・野鳥・両生類・爬虫類・昆虫類・甲殻類・植物など、広い分野の代表種567種を島ごとの亜種を含め、初めて一冊にまとめた。

琉球弧・植物図鑑

◎片野田逸朗
定価(本体3800円＋税)

渓谷の奥深く、あるいは深山の崖地にひっそりと息づく希少種や固有種から、日ごろから目を楽しませる路傍の草花まで一挙掲載。自然観察、野外学習、公共事業従事者に必携の一冊。もちろん、家庭にも常備したい。

ジーファーの記憶
── 沖縄の簪と職人たち──

◎今村治華
定価(本体2600円＋税)

何世紀もの長きにわたり沖縄の女たちの髪を彩った簪、ジーファー。膨大な資料を辿り、那覇や糸満、京都、大分在住の関係者に取材を重ね、ジーファーと銀細工職人たちの姿を浮き彫りにする。

鹿児島の星空ガイド

◎西井上剛資
定価(本体2000円＋税)

星空への第一歩は、自分の住んでいる街で自分の肉眼で見えるものを楽しむこと。天文アドバイザー、写真家である著者が美しくおもしろい星空の豊かな世界へと案内する。鹿児島初！ いつでもどこでも楽しめる待望の星空ガイドが誕生！

奄美食(うまいもの)紀行

◎蔵満逸司
定価(本体1800円＋税)

海の恵み、山の恵み、暮らしを律する季節の料理、母から娘へと受け継がれてきた島の心。奄美に赴任した小学校教師が、大きくて深いシマジュウリ(島料理)の世界を味わいつくす。

鹿児島の歩き方 鹿児島市篇

◎蔵満逸司
定価(本体1600円＋税)

南九州の玄関口・鹿児島市。旅行者が必ず訪れる超メジャー観光名所から、乗り物、グルメ、温泉、神社、御利益スポット、本や音楽、映像、誰も知らない町なかの秘境まで。「鹿児島市の歩き方マップ」も掲載で、街歩きに必携の旅コラム全115篇。

奄美もの知りクイズ350問

◎蔵満逸司
定価(本体1500円＋税)

これであなたも奄美博士!! 島唄、シマの料理、名所・旧跡から、知っておきたい奄美の歴史、マングローブ、アマミノクロウサギといった自然まで。クイズで楽しみながら、どんどん広がる奄美ワールド。

鹿児島もの知りクイズ350問

◎蔵満逸司
定価(本体1500円＋税)

さぁ、鹿児島クイズの旅、はじまり、はじまり──。「へー」の連発。目からうろこの鹿児島問題の数々。解説もためになる。学校の先生が書いた鹿児島人への登竜門。

ご注文は、お近くの書店か直接南方新社まで(送料無料)。
書店にご注文の際は必ず「地方小出版流通センター扱い」とご指定下さい。